なずなと おてっぱらい おばあちゃん

木之下のり子

百年書房

表紙　木之下菜々子

目次

なずなとおてっぱらいおばあちゃん

第1話　おばあちゃんの初恋（昭和34年春のこと）

三年生の三学期もきょうで終わり。あしたからは春休みだ。

なずなは家の前で足をとめた。いけ垣の葉と葉のすきまから、ちょいと中をのぞく。

――あれ、おばあちゃん、また「家出」してきたぁ
練炭火鉢《れんたんひばち》の前に、おばあちゃんがちょこんと座っている。

もうすぐ七十歳になるおばあちゃんは、ママのおかあさん。幸子おばさんとけんかするたび、なずなの家に逃げてくる。幸子おばさんはママの弟のお嫁さんだ。

茶の間の押入れにある、おばあちゃんの「家出専用」の柳行李《やなぎごうり》は、着替えの着

物や下着がどんどん増えて、盛り上がっている。

「ただいま」

縁側《えんがわ》のガラス戸を開けると、おばあちゃんがびっくりするような速さで、ひょいひょいと飛び出してきた。

「やっと帰ってきた、待ってたんだよぉ。ちょいと、これ見ておくれよ」

くたくたに折りたたんだ新聞に、赤えんぴつで丸印がついている。

「こ、これ、おにいさまだよ。ご立派になられて。なにやらっていう法律のご本を出版なさったらしいんだよ」

おばあちゃんの指はブルブルと震えている。興奮性のおばあちゃん。ちょっとしたことにもブルブルしちゃう。

なずなは、おばあちゃんが持っている新聞を見た。ブルブルの先に見覚えのある名前。

「牧田誠一」と載っている。

「えっ！　この人、おばあちゃんの手紙の人と同じ？」

なずなは思わずパチクリして目をこする。

「絶対まちがいないよ。どうやら、とびきりお偉いらしいんだよ。法律の博士さまだって！　何やらっていう勲章もいただいてるらしいよ」

おばあちゃんは新聞をおしいただいて、何度も頭を下げた。

おばあちゃんの思い出話にいつも出てくる「おにいさま」とは牧田さんのこと。おばあちゃんの初恋の人らしい。

大昔に「おにいさま」からもらったという数通の手紙は、今でもおばあちゃんのキンチャク袋に入っている。何十回と「家出」をくりかえしても、ぜったいに忘れたことはない。

渋茶色に変色した封筒の墨文字は、もうかすれていた。

「おにいさま」は、昔おばあちゃんの生家に下宿していた「帝大」（東京大学）の学生さんだった。

「牧田さんって、若いころのおばあちゃんの恋人？」とたずねると、おばあちゃんはきまって「ご縁のなかったお人さ」とてれくさそうにいう。

そして、そのころにはやった歌を懐かしそうに歌うのだ。

♪ボージングハウス《下宿や》のドーター《娘》で
イヤー《歳》はシクスティン《十六歳》　ネーム《なまえ》
パイン《松》
ジャパニズ《日本の》　スカラ《学生さん》にラブシック《恋わずらい》

「おにいさま」の友だちが、女学生のおばあちゃんをからかって作った替え歌だという。

おばあちゃんの声は、頭のてっぺんから出る高い声だ。女学校に通っていた頃コロラチュラソプラノという、ウグイスみたいな高音を練習したのだそうだ。

「まだこの歌は忘れていないよ」と、おばあちゃんは笑ってごまかす。でもなんだか、ちょっとさみしそうだった。

その牧田さんの手紙がいつごろのものかは、なずなは知らない。ラブレターかどうかもわからない。どうして牧田さんと結婚できなかったんだろう？　ふられたのかな？　それとも片思い？

おばあちゃんは、そこのところは決していわない。牧田さんが大学を卒業して、いっとき故郷にもどってしまってから、おばあちゃんは、すっかり落ち込んでしまったらしい。

その当時、どんなことでも、ぴったり当たるという有名な易者さんに人生占いをしてもらったという。「あなたが二十六歳のとき、再婚で子どものいる男性が現れるから、財産家のその人と結婚するといい」といわれたそうだ。おばあちゃんは、それを信じたのだろうか。

占いどおりおばあちゃんが結婚したのは二十六歳の時。おじいちゃんは二度目の結婚で十歳になる女の子がいた。大きな建築会社を営んでいたという。初恋の人とは結婚できなかった代わりに、おばあちゃんは社長さんのオクサマになれた。でも、「大当たり」の占いはそこまで。おじいちゃんの会社は二十年くらいで倒産し大逆転の貧乏人生が待っていた……。

「おばあちゃんの初恋の人って、すごいんだねぇ」

なずながいうと、おばあちゃんは口をオチョボにして、ホホホと社長夫人だったころのオクサマふうの声で笑った。

若いころはきっと、かわいかったのだろう。おばあちゃんの目は、リスみたいにクリクリッとしている。鼻の頭にある焼きチクワのような茶色のシミは、ちょっと残念だけど、もう少しおしゃれをすれば、まだまだきれいだとなずなは思う。

おばあちゃんは、いつも同じねずみ色の着物を着て、えりのよごれをふせぐ白いハンカチを首にはさんでいる。頭のてっぺんが、そよそよの枯れススキみたいだから「柳屋」のチックをつけてかためていた。なずなは甘ったるいチックのにおいは好きじゃない。

でもきょうは一大事のニュースを見て、つけわすれたみたいだ。たばねた髪の横から「枯れススキ」がほつれて、おばあちゃんはいつもよりもっと年寄りに見える。

数日が過ぎた。

ママは仕事に出かけるしたく中だ。

おばあちゃんがなずなのわき腹を、ちっちっとつっついて手を合わせる。

「ちょいとお願いがあるんだよ。くずもちおごるからさ」

「なに？」

手なんか合わせるから、びっくりした。なずなも小声で、おばあちゃんの方に顔を寄せた。

「あのさ、きょうおにいさまん所にいっしょに行っておくれよ」

「えーっ！」

のどの奥から声がヒョロヒョロと飛び出した。

「しーっ。しーってば。調べたら、おにいさまは昔のままの所にお住まいでさ。お祝いのひとつも、いいたいじゃないか」

おばあちゃんは、練炭火鉢のわきに体をこごめて、もっと小さい声でささやいた。

「だって、もう何十年も会ってないんでしょ」

「そうさ、でもきっと覚えていてくださるよ。冥土のみやげにさ、も一度お会いしてみたいんだよ。一人で行くのもねぇ、奥さまもいらっしゃるだろうし、まずいだろ……」

「ふーん」

何がまずいのか、なずなにはよくわからない。

おばあちゃんは、また手を合わせる。

「ね、後生だからさ」

あんまり真剣なので、なずなもだんだんまずいような気がしてきた。

「じゃ、行ってあげるよ。そのかわり、くずもち約束だよ」

念を押してしぶしぶこたえた。

「そうかい、ありがとね。帰りにしこたま、くずもちおごるよ。まかしとき」

おばあちゃんの声がはずむ。練炭火鉢のかげから、にょきっと背中が伸びた。

——おこずかい、ほんとにあるのかな？

くずもちは、あんまり当てにならない。いつもお小遣いがすっからかんで「おてっぱらい」なんだよというのが、おばあちゃんの口ぐせだ。

それにしても、おばあちゃんの心の中にある牧田さんって、いったいどんな人だろう。どう考えても、勲章をもらえるような法律の博士さまと、おばあちゃんでは似合わない。でも、おばあちゃんってすごい！　何十年も初恋の人を想い続けているなんて。おじいちゃんにはちょっと悪いけど。

おばあちゃんはママが仕事に出かけるのを待って、大急ぎでしたくをはじめた。白髪をおだんごに小さくまとめて、トロロコブみたいなうすいネットをかぶせた。横髪に「柳屋」のチックを、たっぷりつけてかためた。なずなの鼻に強いチックのにおいがとどく。いつもの、えりのハンカチはやめにした。そのかわり、ベージュ色のよそゆきの肩掛をかけた。

「いい色味だろ。これは、いっちょうらだからね」

とクイッと首をかしげ、体をはすに構えて鏡を見る。下駄の鼻緒までていねいにふいた。なずなはいつものズック靴。親指のところがすこしほつれかけ指がとびだしそうだ。

三つの電車をのりついで、N駅でおりた。

きょうも、おばあちゃんのキンチャク袋には、牧田さんの古い手紙が入ってる。

その住所をたずねたずねて、やっと大きな屋敷の前についた。

どっしりとした石の柱の上に、くねくねと松の枝がおおいかぶさっている。その柱に
『牧田誠二』と太く力強く書かれた表札。

「すごいね、おばあちゃん」

うちのカマボコ板みたいな表札の何倍もある。それだけで、そこに勲章をつけた牧田おじいさんが、立っているみたいだった。なずなの胸がドキンドキンと鳴った。おばあちゃんは肩掛をとって、着物の胸をキュッと押し上げ、えり元をなおした。その指先はもう、とびきりのブルブルだった。

――だいじょうぶ？　おばあちゃん
なずなまで急にズック靴のほつれが気になりだして、靴の中の親指をちぢめた。

おばあちゃんは、ひょろひょろと門柱の前に行って、震える手で呼び鈴をおした。

「ゴメンクダサイマシ」

おばあちゃんの声は、もうコロラチュラソプラノのウグイス声に変わっている。「ゴメンクダサイ」の後に「マシ」がくっついているときは、オクサマになりきっている証拠だ。しばらくして奥に人の気配がした。ずいぶん玄関まで遠いんだなあ、なずなはゴクンとつばをのんだ。

カラカラと玄関の開く音がして、真っ白な髪の女性が門を開けた。

おばあちゃんと同じくらいの年齢かもしれない。やわらかそうな短い白髪に、ゆるやかにパーマをかけている。うすむらさき色のセーターと茶色のスカート。目の前にぱっと藤の花が咲いたような感じがした。

「あ、あ、あたくし、あの、あの、先生の古い……、ご記憶にあられますかどうか、このたびは、ひ、ひとことお祝いにと……」

なんだか、ことばがつながっていない。おばあちゃんのことばがとぎれるたび、なずなは横で、ガンバレガンバレと、にぎりこぶしに力をこめた。

おばあちゃんは、やっと自分の名前をつげた。

牧田さんの奥さまらしいその人は、じっと耳をかたむけ、おばあちゃんのことばをつなぎ合わせているようだ。そして、小さくうなずいた。

「ようこそお越しくださいました。どうぞ、中へお入りくださいませ」

とやわらかい微笑をうかべて、玄関へ案内してくれた。さわっと藤の花の香が揺れたようだった。

門から玄関まで、変わった形の飛び石が並んでいる。「ケンケンパ」と石から石へと飛んでみたい。でも、いまはオクサマふうにがんばっているおばあちゃんの孫だ。そうはいかない。なずなも、しずしずと破れズックの足をはこんだ。ピンク色のスカートみたいな小さなツバキが、ぽつんぽつんと落ちていた。

おばあちゃんの下駄がカタカタとなる。きっと、ひざもガクガクなのにちがいない。その音を聞きながら、さっきまでおばあちゃんといっしょに浮き立っていたなずなの心は、だんだんとしぼんでいく。

でもおばあちゃんは、駅前で買ったカステラをしっかりかかえて、奥さまについていく。

さんざん迷って、最後にひとこと「ふんぱつしようっ」と、気合を入れて三本入りを買ったのだ。ときどき教会に行くおばあちゃんは、お友だちと「無尽」というお楽しみ会をやっている。グループのひとりひとりが一定の金額を出し合って、きまった期日の日にまとまった掛け金を受け取れるらしい。受け取る人はくじで決める。おばあちゃんはそこで、くじに当たったというけれど、きっとだれかの「当たり」分を先に融通してもらったのに違いない。きょうのお小遣いが、こんなにタイミングよくできるわけがない。

広い庭の見えるお座敷に通されて、牧田さんの出てくるのを待った。

床の間に、仙人がいそうな険しい山の姿を描いた水墨画の掛け軸。ぴかぴかに磨かれた違い棚には、ほんのりと香る香炉があった。

「ああ、お懐かしい。よくおぼえていてくださいましたね」

和服を着た小柄なおじいさんが、ふすまを開けて入って来た。たまごに着物を着せたような、つるんとした顔。どこにも角張ったところのない「まろやかなお人」という感じだった。

なずなは、「おばあちゃんが好きな人って、こういう人か」と心の中でつぶやいた。

「よく、おぼえていてくださった」と牧田さんがいった時、なずなはおばあちゃんのキンチャク袋に入ってる手紙のことを思った。

——どんな時だって、おばあちゃんは牧田さんを忘れた事なんかなかったよと、おばあちゃんの代わりにいってあげたかった。

でも、牧田さんの墨をたっぷりふくんだ細筆みたいなまゆや、めだかのような目をみていると、きっと人に優しい法律を考えた博士さまに違いないと思った。

おばあちゃんは、ますます上がってしまったようで、ざぶとんの上でひょこひょこ腰がはねている。

新聞を見て自分のことのように嬉しかった、きっと何か立派なことをなさる方だと信じていたと、やっとのことで伝えた。あとは汗と涙で、ぐちゃぐちゃになってしまった。

そのおばあちゃんを、静かに微笑んで見ている牧田さんと奥さま。奥さまの目は「やれやれ、どういたしましょ」といっているみたいだった。

牧田さんは、少しさみしそうに目をふせた。まるで、子どもが壊れてしまったおもちゃを手に取って、じっと見つめているような目だった。

――やっぱり会わないほうがよかったんだよ、おばあちゃん。冥土のみやげなんかいらないよ
なずなは、ひざの上にそろえた手をぎゅっとにぎりしめた。

おばあちゃんが少し落ち着いてきたようすに、牧田さんはほっとしたようだった。奥さまはお茶をかえたり、お菓子をだしたり。

少したって牧田さんが、二階のベランダから見える富士山と満開の桜がすばら

しいのだといった。「ぜひ、ごらんください」といいながら腰を上げた。話が続かなくなってしまったらしい。

おばあちゃんは牧田さんの後ろから、二階へと階段を上がっていった。階段にまで敷きつめられている、ふかふかのしぶいグリーンのじゅうたん。

なずなは、富士山より庭に出てみたい。お座敷の前に、そろえてあるサンダルをかりて庭へ出た。池をのぞいてみる。赤白もようや銀色に光る大きなコイが、ゆうゆうと泳いでいた。コイまで博士さまみたいだ。おなかをすかしてパクパクなんか、ぜんぜんしない。尾びれで、ぴちょっと品のいい音をあげて水をたたく。

池のふちまで、身をのりだして咲いているレンギョウ。あざやかな黄色い花が、池の水を金色にしてゆれる。

——おばあちゃんはいま、うれしいのかな。楽しいのかな

なずなは、金色の水を見ながら思う。

そのとき、ダダダダーッ。ものすごい音。家の中だ。

「お客さまが、おっこったーっ！」

牧田さんの叫び声だ。

なずなはサンダルをすっとばして、客間にもどった。

玄関わきの階段の一番下に、おばあちゃんがひっくり返っている。牧田さんは階段の一番上から走り下りてきた。老人とは思えないような速さだった。おばあちゃんを助け起こした時「細筆」のまゆがはね上がっていた。

おばあちゃんは痛いはずなのに、あわてて着物のすそをあわせたり、髪のネットのぐあいを直したりした。

奥さまがお座敷に急いでふとんを敷いて、おばあちゃんを寝かせた。

額に三センチくらいの切り傷ができて、血がにじんでいる。奥さまの応急手当をうけおばあちゃんは、ちぢこまって目を閉じた。

――なにかあっちゃまずいだろっていうのは、こういうことか
なずなは、ふとんのわきで小さいおばあちゃんを見ていた。

近所の医者がきて、おばあちゃんの体中をさすったり曲げたり、まぶたをひっくり返したりして診察した。運がよかった。階段と廊下に敷きつめてある、ふかふかじゅうたんで、傷は額の切り傷と小さなこぶだけだった。たいしたことはないと、医者がいった。それでもおでこの傷口にクルクルと包帯を巻いた。

こんな姿のおばあちゃんを冥土のおじいちゃんは、どんな顔して見てるんだろう。

医者が帰ると、おばあちゃんはきちんとふとんの上に座りなおした。

「ご無礼いたしました」

時代劇みたいなあいさつだった。

おばあちゃんの熱い想いも勲章も、すっ飛んでしまった。

もっと「やれやれ」の目になってしまった奥さまと牧田さん。「少しお休みくださいさい」といって、部屋を出て行った。

どこかでピィーヨピィーヨと鳴くヒヨドリの声だけが、静かな客間に聞こえていた。

　レンギョウの花が、夕日を受けて柿色に変わったころ、ハイヤーが呼ばれた。

　なずなは車の中で、おばあちゃんを見た。おばあちゃんは、なにもいわない。口をへの字にむすんで、泣き笑いの顔。じっと窓の外を見ている。うす暗い車の中で、額の真っ白い包帯だけが、くっきりと浮かんで見えた。

　約束のくず餅のことは、いえなかった。

　車に乗るとき、牧田さんが「これで、おばあさまを送ってさしあげてください。おばあさまを大切に大切にたのみますよ」といった。そして、なずなの手に封筒を渡した。

　車の中で、そっと中を見ると数枚のお札が入っていた。

「おばあちゃんを大切に大切にって、牧田さんがいったよ」

　いおうとして、なずなはぐっと口をつぐんだ。なぜか、もっと悲しくなりそうな気がしたから。
――おばあちゃん、元気出して！
そう思ったとき、なずなの頭に「トンコ節」の歌がふいに浮かんだ。クラスメイトの秀子ちゃんが教えてくれた楽しい歌謡曲。ママはなぜかこの歌をきらっている。なずなには歌の意味はわからなかったけれど、あれなら、おばあちゃんも楽しくなれるはず。
なずなは心をこめて歌いだした。
♪アナタニ　モラッタ　オビドメノ
ダルマノモヨウガ　チョイト　キニカカル
サンザン　アソンデ　コロガシテ　アトデ
アッサリ　ステルキカ
ネエ～エ　トンコ　トンコ
するとおばあちゃんは、くるりとなずなの方に向き直って、ペッチーンとなずなのおでこをたたいた。
その顔はもう、大笑いに変わっていた。

第2話　いいことも、あったよ

雨は一週間も降り続いている。

なずなは庭のアジサイをぼんやり見ながら、ため息をついた。

「あーあ、あしたは月曜日か……　学校行きたくないなぁ」

もう頭が痛い、おなかがチクチクなんて嘘はつけない。

「四年生になったんだから、基礎勉強はちゃんとしなくちゃね」

と、ママはきびしくいう。

あしたは暗算テストがある。すらすらと答えられないし、それに、なかよしの秀子ちゃんも急に転校しちゃったんだもの。なずなは、ますます学校へ行きたくない。

「秀子ちゃんがいればなぁ」

もし暗算がつっかえても、そろばんが得意な秀子ちゃんが後ろの席から、小声で教えてくれるのに。

転校するちょっと前、秀子ちゃんがしんみりした顔で、うちにやって来た。

「どうしたの？」ときいても黙ってる。

ようすがいつもとぜんぜんちがう。二人して庭の大きなもみじの木に登っても、秀子ちゃんは元気がない。

「具合わるいの？」

なずながもう一度聞くと、秀子ちゃんはやっと「秘密だよ」と話しはじめた。

その時の秀子ちゃんの大きな目は、暗くさみしそうだった。

「あのね、おかあちゃんがおじさんと別れたの」

「おじさんて？　だれ？」

秀子ちゃんは、なずなの問にこたえずに、ふふんと、おとなっぽく笑った。

「あたしには、もうおとうちゃんがいなくなったってわけ」

「じゃ、おばさんとおじさんは、離婚しちゃったの？」

「ま、そんなとこかな。おとうちゃんは、ほんとの奥さんとこに帰っちゃった」

「……？」

――ほんとうの奥さん？　帰っちゃった？

さっぱりわからない。なずなの頭の中は、もやもやとうずが巻いている。

「そのうち、なーちゃんにもわかるようになるよ」

秀子ちゃんは、なずなよりぐっと大人っぽくすることで、元気を少し取り戻した。

「おかあちゃんとあたし、北海道のおばあちゃんとこに行くことにしたの」

「じゃ転校するの？」

「そ、いやだけどしょうがないよ。おとなって、かってだね」

と、はきすてるようにいった。そして
チントン　シャントテン　トントン
と、シャミセンの音色で音頭をとるまねをした。ピンチのときよくやる秀子ちゃんのくせだ。元芸者さんだったという、おばさんもよくやっている。

秀子ちゃんは、しょげてないよ、というように「かっぽれ、かっぽれ、よいとな」とおどけて首をくねらせた。でもさっきより、かえってさびしそうに見えた。

あの日から一週間。

四年生の新学期がはじまってすぐ、秀子ちゃんは北海道へいってしまった。

「北海道でも、かっぽれ、かっぽれってやってるかな…」

「なんだい、なんだい、なーちゃん、ひとりごとなんかいってさ。やけに、しめっぽいじゃないか」

雨にぬれたマサキの枝をもって、おばあちゃんが茶の間に入ってきた。

おばあちゃんの今度の「家出」は二ヶ月。いつもより少し長い。

「おサカキを買いそびれちまってね。これで、ごめんこうむるとしようかね」

おばあちゃんは、台所のコップに庭のマサキの小枝をさした。

最近のおばあちゃんの神さまは、タンスの上にまつられてある。なにか細かい字が書かれた細長い紙だ。ちっとも神さまらしくない。でも、おばあちゃんは壁にはってあるその紙に、毎朝手を合わせモジョモジョとなにかを唱えている。なずなにはよく聞き取れないけれど「ナムジソウダイ、ナムジソウダイ」と聞こえるのだ。

雨にぬれたマサキはみずみずしいけれど、神さまに奉げるいつものサカキとはちょっとちがう。葉があっち向いたりこっち向いたりしていた。

おばあちゃんは、きっと「おてっぱらい」でサカキを買えなかったのに違いない。

「金は天下の回りもの」といいながら、あっという間にお小遣いを使ってしまうおばあちゃん。天下はおばあちゃんのところに、ちっともお金を回してくれない。

「どんな神さんもね、真心がこもってりゃ、サカキであろうとマサキであろうと、いいんだよ」

おばあちゃんは、自分にいいわけするようにいって手を合わせる。似たような名前だし、緑の葉っぱもつやつやだし、ま、いいかって、なずなも思う。

でもここでこんなに心を込めたって、飛び切りのお願いがあるときは、おばあちゃんはキリスト教の教会に行くのだ。

おばあちゃんの後ろ姿を見ながら、なずなはどれが本物の神さまなんだろうと思う。

ぼんやりしているなずなを見て、おばあちゃんはニヤリと笑った。

「はははぁん、あんたまた学校へ行きたくないんだろ。あしたは月曜日だからね。図星だろ」

おばあちゃんは、なずなのおでこをちょんと指で突っついた。けっこう勘がいいおばあちゃんなのだ。

「だって、秀子ちゃんはいないし、暗算のテストもあるし……お天気になったら体育もあるし」

いやいやずくめの月曜日なのだと、素直に白状した。

「そりゃ、お気の毒なこったねぇ。ちょっとお待ちよ、暦みてあげる」

おばあちゃんは「家出用」キンチャク袋から、うすべったい小さな本を取り出した。

この本には一日一日の運勢というのが書いてあるらしい。

きょうはいい日か悪い日か、中位の日か。おばあちゃんは朝起きるとすぐ、この暦をみる。そして一日の行動をきめている。よい日と書いてあれば、いさんで宝くじや賞金付きクイズが載っている週刊誌を買いにいくのだ。

「えーと、あしたは水無月の十四日、月曜日だからっと、ありゃ、なーちゃんダメだダメだ。黒丸の仏滅だよ」

なずなはあわてて、おばあちゃんの指さすところを見た。たしかに六月十四日のところに、真っ黒い丸印がついている。

「仏滅ってなに？」

「この日は、なにごとも忌み慎む方がよいっていう日だよ」

忌み慎む？　もっとわからない。なずなが、ぽかんとしていると、おばあちゃんは「宝くじを買うなんて、もってのほかっていうくらいの日なんだよ」とつけ加えた。

「そうか、もってのほかか」

宝くじも買えないくらいの日だなんて！

なずなは、ますます学校へ行きたくない。ぬかるみに、はまったような気持ちになった。

「いいんだよ、なーちゃん。行きたくないところなんざぁ行くこたぁないよ。子どもは、のびのびするのが商売だもの」

おばあちゃんは、なずなのしょぼくれた顔を見てなぐさめる。

「暗算なんざぁ、おばあちゃんが教えてあげるさ。これでも女学校に行ったんだから。なーちゃんの算術くらい、なんてこたぁない」

なずなは半分信じられない気持ちで、おばあちゃんを見た。

「チュウ、チュウ、タコカイナ、ニイチ、テンサクノ、ゴってね。昔はこうやって数を数えて答えを出したんだよ。だから四の五のいわずに順番に覚えりゃいいのさ」

なずなの聞いたこともないおまじないみたいなことばを、おばあちゃんは調子をつけていった。

やっぱりおばあちゃんを、あてにするわけにはいかない。

「元気おだしよ。あしたのことは、おばあちゃんにまかしとき。いいようにしてあげる」

おばあちゃんは、ポンと胸をたたいてからまた、タンスの神さまに手を合わせた。

「ナムジソウダイ、孫をよろしくおたのみ申します。あーナムジソウダイ」と、熱心に唱えた。

きのうまでの雨はからりとあがって、青空がまぶしい。

「いってまいりまぁす」

なずなは今朝、おばあちゃんにいわれたとおり、いつもより元気いっぱいの声をはりあげた。

「いってらっしゃーい、がんばるのよぉ」

ママもうれしそうに大きな声でいった。

門を出るとマサキの垣根のかげに、おばあちゃんが腰をかがめて待っていた。

「さ、こっちこっち、早くおいで」

おばあちゃんはすばやく家の前を通りこし、角を曲がった。五軒ほど先の土管広場へなずなを引っ張っていく。広場いっぱいに何本も土管が置いてある。おばあちゃんは、ぐるりとあたりを見廻して、人がこないかを確かめた。

「ほれ、早く、くぐるんだよ」

土管広場の破れた鉄条網をひょいと持ち上げて、なずなのランドセルの背中を押す。

「ここには入っちゃいけないんだよ。おばあちゃん。『立ち入り禁止』の札が立ってるよ」

なずなはあわてて、おばあちゃんをふりかえった。

「かまやしないよ。孫が行きたくないっていってるところに、行かすわけにゃいかないよ。しかも仏滅だ」

おばあちゃんは、なずなの手をぐいぐい引っぱって、広場のまんなかの土管の中に押し込んだ。

土管の幅は、なずなが両手いっぱい広げて、やっととどくくらい。かがんでいないと頭がつっかえる。五本ずつ五列もならんでいる土管。

「ここで、じーっとしておいで。昼にゃ、おむすびこさえて持ってきてあげるからね」

おばあちゃんは、また小走りで鉄条網の破れ穴から出て行った。

土管から出てはいけないといわれると、なんだか急に息苦しい。

――ほんとにだいじょうぶかな？

なずなは土管の真ん中あたりでランドセルを下ろし、こっそり外のようすをうかがった。しーんとしている。なんだか不安になって土管の入り口のほうに這い出した。なずなのいる土管は、五列並んでいる土管の三列目。鉄条網のやぶれ穴から数えて五本目だった。そのとき
「まってよぉ、まってぇ。トモちゃーん」

と、聞き覚えのあるイクヨちゃんの声だ。なずなはドキッとして、あわてて土管の奥へ逃げ込んだ。前列の土管のまあるい穴の向こうに、トモちゃんとイクヨちゃんが笑いながら通って行った。次に赤いスカートの女の子。

――あ、ヨシコちゃん、おニューのスカートはいてる。

なずなは思わず、そろりと一歩前に出た。

土管広場の穴の中に気づく子はだれもいない。

テッちゃんがキヨコちゃんと、仲よく歩いて行く。

――へぇキヨ子ちゃん、テッちゃんのことだいきらいって、いってたのにねぇ。うそつき！

なんだか秘密の部屋を、のぞいてる気分だ。しばらくして、カタカタとランドセルを鳴らしながら、泣きべその一年生が走っていった。その子が最後らしい。通学路はスズメのさえずりだけになった。

なずなは半分ほっとして、半分置き去りにされたような気持ちになった。でも、雲ひとつないツユ草色の空を見ているうちに、じっとしていられなくなった。となりの土管にちょろちょろ、向かいの土管に、そろりそろりと入ってみる。小さな声で「ワオー、バンザーイ」といってみた。いつもより低く湿った自分の声が、土管にひびく。

なずなは目の前に転がっている細い鉄の棒をひろった。土管のふちを軽くたたいてみる。コォォーン、深い井戸の底から返事がきたみたい。

「かっぽれ、かっぽれ、よーいとな」

コンコンコン。

たたきながら、なずなは北海道にいってしまった秀子ちゃんを思いだしていた。どのくらい時間がたったのだろう。ふっと気がつくと、前列の土管の円の中に見なれた下駄の赤い鼻緒が……

──わーっ！　ママだっ！

体中がちぢみ上がった。

土管をひとつひとつ、のぞきながら赤い鼻緒が近づいてくる。なずなは石のようにコチコチになって動けない。体をまるめて、じっと息をつめていた。

「あっ、いたっ！　なずなさん！　学校へ行かないで、こんな所でなにしてるのっ！」

ママは、なずなの土管をのぞきこんで、目をひっつり上げた。「なーちゃん」じゃなくてなずなさんというときはとびきりこわい。いつか城山神社で見た狛犬みたいな顔だった。

――だめだ！　もう逃げられない

「早く行きましょ。今からでもいいから。ママがつれていきます！」

「やだやだ。今からなんて。あしたから、ちゃんと行くから」

なずなは泣きながら、ひっしにいった。狛犬はガンとして動かない。

――おばあちゃーん、たすけてぇ！

でもママはランドセルを土管の中から引っ張り出して、なずなの手首をぎゅっとつかんだ。

「やだよー、やだってばー。ごめんなさぁい」

なずなは、ママにぐいぐい引っ張られて、鉄条網の破れ穴から外へ押し出された。

「こそこそ、おむすびなんか作って、おかしいと思って後をつけてみりゃ、こんなことして！　おばあちゃんたら、子どもにとんでもないこと教えるんだから！」

もうママはカンカンだ。おばあちゃんと、なずなとの二人におこっているから、力も二倍。放すもんかっ！　と指の先を白くして、なずなの手首をつかんでいる。

道に出るとなずなの目の端に、おばあちゃんの姿がチラッと見えた。

おばあちゃんは曲がり角に半分からだを隠して、おがむように両手を合わせていた。何度も頭をさげている。その顔が泣いてるみたいに見えた。

「おばぁちゃーん、おばぁちゃーん」

なずなは、ずるずると引きずられながら、とうとう学校まで来た。

もう授業は二時間目の国語になっていた。

先生は教室の入り口の前で、フーフーいっているママをなだめて家に帰した。

なずなは先生に肩をだかれて、教室に入った。

クラス全員の目が、そそがれている。なずなはヒクヒクとしゃくりあげながら、自分の席にすわった。ずっと下を向いたまま。

「さ、このあいだの宿題をみてみましょう」

先生はなにごともなかったように、授業を始めた。そしてコツコツと黒板にチョークで何かを書いている。

「この作文読みますね。先生これとてもいいと思うのよ」

先生の読み上げる作文を聞きながら、なずなは少しずつ頭を上げた。黒板になずなの作文の題が書いてあった。

『あたしのおばあちゃん』

おばあちゃんは、いつも、さちこおばさんにおこられます。それは、一カ月のおこずかいを、ぱっと、使ってしまうからです。そうして「おこずかいがたりない、おこずかいがたりない」ていうからです。おこずかいをもらうとすぐ「なにか買ってあげるよ」と、あたしにいいます。「おこられるからいいよ」って、あたしがいうと「なーちゃんに、どうしても、なにか、買ってやりたいのさ」っていいながら、いろいろ買ってきます。このあいだは、したじきと森永キャラメルと、草加せんべいと腹巻でした。

なずなは自分の作文を聞きながら、さっきのおばあちゃんの半泣きみたいな顔を思いだした。

――おばあちゃん。きょうは黒丸の仏滅だったけど、こんなにいいこともあったよ

と心の中でつぶやいた。

家に帰ると、おばあちゃんはいなかった。おばあちゃんのキンチャク袋もない。ちゃぶ台の上のお皿に、おやつの塩豆と手紙が置いてあった。

ミミズみたいなくねくね文字だけど、細く区切ってなずなにも読めるようにし

てあった。

なずなどの

このたびは、まことに、もうしわけなく、こころ、いたんでいます。そぼとして、まごを、みちびくたちばに、ありながら、このありさま。おはずかしく、なさけなく、ひらにひらに、おわびいたします。

あらあらかしこ　ばばより」

なんだかかしこまっていて、おばあちゃんらしくない。時代劇みたいだ。でもなずなには、おばあちゃんの気持ちがよくわかった。きっと、あれからママに厳しくしかられたのだろう。すごく反省したのだろう。

胸がきゅっと熱くなった。

「おばあちゃん、ごめんね」

ふと見ると、ちゃぶ台のわきのくずかごに、あの暦がすっぽりと捨ててあった。

なずなは暦をひろい出した。

「おばあちゃん、きょう半分は黒丸の仏滅だったけど、あと半分は三重丸のいい日だったんだよ」

おばあちゃんのいない茶の間は、静まり返ったほら穴みたいだ。

消えた練炭火鉢の上のやかんは、まだほんの少し温かかった。

第3話　カレーご膳

なずなが学校から帰ってくると、玄関にママの靴がある。

「あれ？　ママいるの？」

今日は仕事で遅くなるはずなのに。うれしい！　なずなの胸がキュンとはずむ。

「あ、なーちゃん大変なんだよ。ママのぐあいが悪くってさ。あたしまで死にそうだよ」

バタバタとおばあちゃんが、玄関に飛び出してきた。

――なーんだ、またおばあちゃん「家出」して来てる…

急に気持ちがしゅんとしぼんだ。

台所をのぞいてみると
「こっちよ」

と、となりの茶の間から空気が抜けたようなママの声がする。なずなは茶の間の障子を勢いよくあけた。

「わっ、どうしたの？」

ママが真っ白い顔で寝ていた。

おばあちゃんの「家出」用ふとんを掛けて、ぐったりしている。落ちくぼんだ目は、ちょっとした風邪や腹痛ではないと、なずなにもすぐにわかった。

「きょう、お仕事、お昼でやめてきたのよ。お昼を食べたら、急に気持ちがわるくなって、おなかも痛くなって」

ママの呼吸はとぎれとぎれで、フーフーと荒い息をする。

なずなの方に、ゆるゆると手をさしだした。

「なに？」

ちょっと気味が悪くなって、なずなは一歩後ずさりする。

「起こしてちょうだい、お手洗いに行くから。もう、十回以上よ」

——あ、そういうことか
なずなはあわてて、ママの腕を自分の肩に回して持ち上げた。

いつもは二階で寝ているママだけど、十回以上もトイレに行くなら、二階はとても無理だ。

「あたしもさっきから、何回も起こしてやってさ。なんせ、こっちは年寄りだから腰が痛いやら足が痛いやらで、血圧があがっちまいそうだよ」

おばあちゃんは、ここぞとばかりに今日の活躍をしゃべりだした。

ママはうっとうしそうに眉をしかめながら、

「ふらふらするわ」

と片方の手で柱や壁を伝って、部屋をでていく。

「だいじょうぶ？　中村先生を呼ぼうか？」

なずなはお手洗いの前で、ママにいった。

何かあるといつでも往診してくれる近所のおじいさん先生だ。

「そうね、呼んでちょうだい。それからクレゾール液を買ってきて。みんなもよーく手を洗わないと」

水に少しクレゾール液をたらして消毒用に使う薬のことだ。

ママはまた、なずなの肩に腕をかけて、よろよろと寝床にもどった。

「消毒しなくちゃいけないくらい、悪い病気なのかい？」

おばあちゃんは心配そうに、なずなを見た。

「わかんない」

なずなは小さく首をふる。胸がドキドキして、手が氷のように冷たくなった。

「急いで中村先生のところと薬やさんに行ってくる」

なずなはママを寝かしつけてから、ママのおさいふと買い物かごを持って、玄関に走り出た。

「なーちゃん、ちょいと、消毒しなくっちゃいけない病気って、コレラかね」

おばあちゃんも走り出てきて、なずなの上着のすそをチッチッとひっぱった。

「知らないよ。そんなこと」

ますます不安になって、なずなはおばあちゃんがにくらしくなる。

「コレラってのは昔は、コロリっていってさ、あっという間にころっと死んじゃうんだよ。保健所の人が来て、シューシュー白い粉まいて、家中真っ白けになってさ。みんなにうつるんだよ」

「そんなこと、知らないってば！」

なずなはもう泣きそうだ。

「家の周りに縄張られてさ。コロリコロリって、近所の人が集まってきてさ。あたしゃ、富士夫のとこ、帰ったほうがいいかね」

「やめてよ！　もう」

なずなは、おばあちゃんの下駄をひっかけて玄関を飛び出した。

「ああ、それあたしの下駄……」

――おばあちゃんは、自分のことばっかり！

自分の娘のことなのに！　ちっともママのこと心配してない！

なずなのおなかの中は、煮えくりかえっている。

なずなが病気のとき、ママはいつも「心配しなくてだいじょうぶ。すぐよくなるからね」って安心させてくれる。そういうのが、ほんとうのお母さんだよ！

なずなは悲しくなって、泣きベソで通りにかけ出した。

――ママが死んだらどうしよう！　コレラってほんとに、すぐ死んじゃう病気なのかな？　みんなにうつっちゃうのかな？

涙をふきふき走り出た通りで、あやうく人にぶつかりそうになった。

「わっ、ごめんなさい」

顔を上げると、着物姿のおばあさんが立っていた。

「あ、おばあさま！」

「あら、なーちゃん。あぶないこと！　なにをそんなにあわてているの？」

おばあさまは目を丸くして、ふーっと胸をなでおろしていう。

このおばあさまは、パパのお母さん。いつでも背筋をピンと伸ばして「婦人クラブ」の着物のモデルさんみたいに、すっきりとして美しい。

「近くまで来たので、なーちゃんの顔を見に来たのよ」

「ああよかった！　ママが大変なの。死にそうなの！　コレラかもしれないって」

なずなは泣き出した。

おばあさまの顔から、さっと笑顔が消えた。

「行きましょう。大丈夫よ。なーちゃん泣かないの。家に戻りましょう」

おばあさまは、さっさと家のほうへ歩きだした。あわてて、なずなもついていく。

なずなは玄関のドアを、思いっきり開けた。

「なんだい、なーちゃん。もう……」といいかけて、おばあちゃんははっ、と息をとめた。

「あれあれ、おばあさま、お久しゅうございます」

おばあちゃんは、急にオクサマふうにあいさつをした。負けず嫌いなおばあちゃんは、気品のあるおばあさまの前では、いつも気取ってとびきりオクサマふうにする。ほつれた髪を指でかきあげたり、着物のえり元をくいっと持ち上げたりした。

「絹子さん、おかげんが悪いんですって?」

おばあさまの真剣な顔に、おばあちゃんはあわてて、ママの寝ている茶の間の障子を開けた。

「虫の知らせとでもいいましょうか、なんだか急に娘のことが気にかかりましてね。来て見ましたらこの始末。以心伝心、親子といいますものは、いつもどこかで心がつながっているものですね。危機一髪。私が来なかったら、大変でございました」

——おばあちゃん、うそばっかり！　幸子おばさんと、またけんかして「家出」してきたくせに

なずなは、おばあちゃんの顔をちらっと見る。おばあちゃんはしゃあしゃあとした顔で、コホンとせきをした。

おばあさまは、おばあちゃんの「家出」のことなんか、百も承知なのだろう。でも「それは大変でしたわね」とあいさつした。

ママのふとんの脇にそっとすわった。

「絹子さん、いかが？」

ママのおでこに優しく手をあてて、いろいろたずねはじめた。どこが痛い？　どんなふうに？　いつ、どんなものを食べたの？

長い間、おじいさまの看病をしていたから、おばあさまは、お医者さんみたいだ。ママもこの辺が痛いとか、お昼にウグイスパンと牛乳をのんだとか、子どものように一つ一つこたえていく。

「お熱もあるようね。脱水しないようにしなくてはいけないわね。ほうじ茶でも飲ませましょう」

「そうそう、ほうじ茶が一番でございます。今、入れてやろうと思っていたところです」

おばあちゃんは、おばあさまの横でわかったような相づちをうつ。おばあさまは、おばあちゃんよりも早く台所に行って、お湯をわかし始めた。おばあちゃんは、一歩遅れてくやしそうに唇をゆがめた。

「脱水って?」

なずなが聞いた。

「嘔吐や下痢のせいで、体から水分がどんどん抜けていってしまうのよ。そうすると熱があがってしまう」

「そうそう、水がなくなりますです」

と、おばあちゃんは、ぶつぶついっている。

茶だんすのあちこちを開けたり閉めたりして、ほうじ茶をさがしている。ほうじ茶なんかいつも買ってないから、緑茶の缶しか出てこなかった。

おばあちゃんの指がブルブル震えだした。ますます気持ちがたかぶってきたのだろう。興奮すると血圧が急に上がるから危険よと、ママはいつも注意している。でも今は特大のブルブル、どうにも止まらない。ママの湯のみ茶わんをカタカタいわせながら、ちゃぶ台の上においた。

「ほ、ほーじ茶をあいにく、き、きらせておりまして。なーちゃん、買って来ておくれ」

おばあちゃんは、ひょろひょろの震え声でいった。

ママはまた起こしてと、ゆうれいみたいに手を伸ばす。なずなはよろよろしながらママをお手洗いへ連れて行った。

「あ、それから湯たんぽありますかしら。絹子さんの足がとても冷たいわ」

おばあさまにいわれて、おばあちゃんは素早く立って押入れに頭をつっこんだ。

「えーとえーと、どこだったかねぇ」

「家出」用の行李の中をひっかきまわす。

「あった、あった」

うすよごれた、えんじ色のネルの袋に入った湯たんぽがでてきた。

「なーちゃん、あとはやるわ。中村先生に往診をお願いしましょう。食あたりらしいって、いってね」

おばあさまはてきぱきと、おばあちゃんとなずなに指示を与えていく。

「うん、わかった」

さっきのような不安はもう消えていた。なずなもてきぱきと動き出す。また買い物かごを持って家をとびだそうとすると、おばあちゃんが後ろからついてきた。

「だいじょうぶかね、金咲屋のおばさんは、盲腸のとき、おなかを温めて死んじゃったよ」

おばあちゃんは、おばあさまに聞こえないように小さな声でいった。

「こんどはコレラじゃなくて盲腸？　おばあさまが食あたりっていってるでしょっ！　だいじょうぶだよ！」

「そうかいそうかい、おばあさまのいうことならみんな正しいんだね！」

おばあちゃんは、入れ歯をカチカチいわせておこりだした。指先はもっとブルブルだ。

「あたしが、こんなに娘を心配してるってのに、あんたって子は！　薄情なんだから」

——もう、やだやだ！

なずなの指先もブルブルになって、胸はつぶれそうだった。

中村先生はすぐに来てくれた。先生もやっぱり食あたりだといって、なずなが見たこともない太い注射と、細い注射を一本ずつママの腕に打った。あとは温かくして消化のいい物を食べるようにといい残して、帰っていった。部屋に甘ったるいブドウのようなにおいがただよっている。ママの顔に少し赤みが差した。「ありがと」と、ママが微笑むとほっとした安らぎが流れた。

「もう、心配いらないわ。よっぽど疲れていたんでしょうね。かわいそうに。ゆっくり休ませましょう」

おばあさまが、ぽつんといった。

お手洗いの前に、水でうすめたクレゾール液の入った洗面器を置いた。家中が学校の衛生室のにおいだ。そのにおいが部屋の中も、なずなの心の中も安心色にしていく。

おばあちゃんは、おばあさまに負けないようにとママのオデコに冷たい手ぬぐいをのせたり、ふとんの上からさすったりしている。

「こういう時は、冷えるのが一番悪いんだよ。温かくしていりゃ、すぐによくなるよ。さっきから、温めようと思ってたんだ」

——えーっ、また、さっきと違うことといってる金咲屋のおばさんの盲腸はどこいったのよ！　なずなは黙って、おばあちゃんをにらんだ。

ママは注射がきいてきたのか、すやすやと寝息を立てて、眠りはじめた。

「なーちゃん、ここはミチさんにおまかせして、ママが夜に食べられるよう、ゆるいおかゆでも作りましょうか」

おばあさまが小さい声でいった。おばあさまは、おばあちゃんのことを、いつもミチさんと名前で呼ぶ。ママのことをさすっているおばあちゃんの気持ちを考えたのだろう。

「あ、うれしい。あたしの分も作って。おばあさまのおかゆって、ぬーがぬがでおいしいんだもん」

なずなはやっと心が落ちついて、笑顔でいった。

「ぬーがぬが」って、とろーりとしているってこと。なずなの作ったことばだ。なずなが、ハシカにかかったとき、おばあさまが、おかゆを作ってくれたことがある。そのおかゆが、とろーりの「ぬーがぬが」って感じだったのだ。

「はいはい、ぬーがぬがね」

おばあさまは、嬉しそうにいって台所に行った。

ゆっくりていねいに、おかゆをたく。

真っ白いとろとろのおかゆ。

「わー、できたね。おいしそうなにおい」

なずなは土鍋のふたをそっと開けてみる。

「さーうめぼし、うめぼし」

なずなとおばあさまで、楽しそうに梅干の用意をしていると、おばあちゃんが台所に出てきた。どこからひっぱりだしたのか、くちゃくちゃの、かっぽうぎをかけている。

「なにか、こさえましょうかね」

指はブルブル。作るといったって、おばあちゃんはたったひとつ、煎り豆腐しか作れない。

なずなの心にふくらんでいた風船が、パチンとはじけたように、温かな時が壊れた。

「あら、よかった。わたくしは、おそくなるから帰らなくちゃならないわ。あとはミチさんにお願いしましょ」

おばあさまは、ニコニコしながら身支度をした。帰り際になずなの肩をポンポンとたたいた。

もう暗くなってしまった道を、おばあさまのまっすぐな背中が遠ざかっていく。ポンポンとたたいたのは、後はおばあちゃんと仲よくがんばりなさい、ということだろう。

なんだかさみしい。いっしょに、おかゆを食べたかったのに。

おばあちゃんは、対抗する相手がいなくなって、ポカンとしている。

「なーちゃん、おかゆでも食べようか」

もう何も「こさえる」気が、なくなってしまったらしい。それとも、ちょっと自分がはずかしくなっちゃったのか。しょんぼりして、茶の間のママのところに行ってしまった。

――おばあちゃんは、自分だって役にたっているということを、みんなにわかって欲しいんだ

幸子おばさんのとこでもママのとこでも、へマばっかりやるから、みんなにうんざりされている。それがわかるから、なおさらおばあちゃんは、がんばろうとする。だけど、うまくいかない。くやしくって、悲しくってしょうがないんだ。きっと。

おばあちゃんは小さな背を丸めて、ママの頭の手ぬぐいを代えていた。

すっかりしょぼくれたおばあちゃん。なずなはふっと悲しくなった。

「おばあちゃん、なにか、おいしいもんこしらえて」

なずなは、おばあちゃんの背中にいった。

「えっ、あたしでいいのかい？」

「うん、おかゆはママの分だもん」

「そうだね、そうだね、なにこさえよう」

おばあちゃんは、嬉しそうにいった。

「そうだ、ママがよくこさえるカレーご膳、ふたりして、つくってみようか」

「賛成、賛成、大賛成！」

おばあちゃんは、カレーライスのことを、いつもカレーご膳という。

「さーて、ばれいしょ、たまねぎ、にんじんと。お肉がいるね、そうそう、黄色いカレーの粉は、じゅうぶんあるね」

おばあちゃんはすっかり元気になった。

「じゃ、お肉を買ってくればいいんだね」

なずなは、またママのおさいふをつかんで、玄関を飛び出した。

もう風が冷たい。

「気いつけておいきよ」

おばあちゃんの声がやさしく、なずなを追いかけてきた。冬はもうすぐだ。

第4話　誕生日パーティー

「きょう、あたしの誕生日なの、パーティーやるから家に来ない？」

なずなはゲタ箱の前で、ゆう子ちゃんにいった。

「えっ、ほんと？　行く行く」

ゆう子ちゃんは、人形みたいな大きな目をもっと大きくして、うれしそうにいった。

「もうひとりだれか、つれてきてもいいよ」

ゆう子ちゃんの笑顔につられて、ついいってしまった。胸がドクンとなった。

「そう、じゃ、みずえちゃんでもいい？」

「もちろん！」

また、胸がドクンとする。ゆう子ちゃんとみずえちゃんは、いつでもいっしょ。なずなも仲間に入れてもらいたい。

「じゃ、二時に来て」

なずなはカサカサした唇をなめた。二月の風が冷たい。

「じゃ、またあとでね」

ゆう子ちゃんは赤いランドセルをしょって、風の中を走っていった。

——さそっちゃったけど、ママ、パーティーのことわすれていないかな？

なずなは急に心配になった。

きのう、ママの帰りがおそかったから、きょうの誕生日のことを確かめずに、先に寝てしまった。

ゆう子ちゃんが角を曲がっていったので、なずなも走って家に帰った。背中のランドセルがポコポコ音をたてる。ゆう子ちゃんのランドセルは革で出来ているからこんな音がしない。ボコボコともっとしぶい音がする。なずなのランドセルは何重にもかたくボール紙をはりあわせ、その上に目の粗いザラザラの布をかぶせたものだ。表面に赤いさくらんぼの刺繍《ししゅう》がついている。けれど中身がボール紙だから、もうあちこちがヨレヨレしている。一年生になるときママが市場で「安い安い、あーよかった」って買ってきたものだった。

マサキのいけ垣から、いつものように家の中をのぞいた。やっぱりおばあちゃんは煉炭火鉢の前で、居眠りをしている。ママがいるような気配はなかった。

——だめだ。ママいないや。仕事に行っちゃったんだ

なずなは、ますます不安になって家に飛びこんだ。

「おばあちゃん！　きょう、ママ早く帰って来るっていってた？」

「わっ、びっくりさせるんじゃないよ！」

おばあちゃんは、ブルブルッと体をふるわせた。また、週刊誌のクロスワードパズルをしていたらしい。水着みたいな服を着た女の人の表紙の週刊誌が、ひざ

からすべり落ちた。ママはこの週刊誌は、あまり品がよくないからやめてといっている。でも、おばあちゃんは、パズルが載っているから、毎週こっそり買ってくる。パズルが当たれば賞金がもらえるからだ。

「ねえ、おばあちゃん、きょう、あたしの誕生日ってこと、ママ忘れてないよね！」

「さあね、きょうは、初めて編集会議に出られるって、大騒ぎで出て行ったよ。それよりさ、このタテの答えが、どうしてもわかんなくってさ。みておくれよ」

おばあちゃんは、耳にはさんでいた赤鉛筆をとって、パズルの縦マスをなずなに見せた。

「えーっ、ママこのあいだ、いったんだよー。なーちゃんのお誕生日には、ドーナツつくってあげるって。プリンも添えるって。お友だちも、呼んでいいっていったんだよー」

やっぱりママは忘れてた。なずなはおばあちゃんの手をはらいのけて、泣き声になった。

「そうかい、じゃ、きっと帰ってからこさえるんだろ」

おばあちゃんはまた鉛筆を耳にはさんでから、お茶を一口のんだ。

「だめだめ、もうすぐしたら、ゆう子ちゃんと、みずえちゃんが来るんだもん。どうしよう」

涙がポロポロこぼれ落ちた。

「あれそりゃ、こまったね。あいにく、きょうは、なにもないね。おばあちゃんも、おてっぱらいだしね」

「あいにく、きょうは」だなんて、いつだって、おやつの買い置きなんかないくせに。おばあちゃんもいつもいつも、おてっぱらいの一文なし。パズルも当たったためしがない。

わかっていても、なずなは茶だんすの戸をパタパタ開けて、上から下までのぞきこんだ。しけった金魚せんべいがちょこっとと、ラムネが三個。これじゃーどうしようもない。

あーんあーん。なずなは大声で泣いた。

「ちょいと、そんな、あかんぼみたいに泣くんじゃないよ。おばあちゃんが何とかするからさ。お友だちが来たら、しばらく何かで遊んでおいで。それから、おやつにすればいいじゃないか。本式のパーテーてのは、そんなもんさ。始めからすぐ食べるのは、下品なんだよ」

ほんとかどうかわからない。けどなずなは、おばあちゃんの言葉を、信じるしかない。

「ほんと？　だいじょうぶ？」

「あー、まかしとき。おばあちゃんの若いころにゃ、毎日パーテーだったよ」

なずなはまた、ほんと？　と思う。でもおじいちゃんの会社がつぶれる前は、おばあちゃんもお金持ちだったのだ。

「それじゃ、安心して大船にのったつもりでさ、顔でも洗っといで」

おばあちゃんは柳ごうりの中に、あまり品のよくない週刊誌を隠すようにしまった。そしてキンチャク袋の中から、ぺちゃんこのおさいふを取り出した。

「こういうことがあるから、も少しこずかいはずんでくれって、いってるのにさ」

おばあちゃんはぶつぶついいながら、おさいふの中の一円玉や五円玉を数えている。

「なずなちゃーん」

かきねの外で、ゆう子ちゃんの声がした。

「わっもう、きた！」

なずなは顔を洗って鏡を見た。泣きはらしたはれぼったい目、赤くなったグミの実みたいな鼻、八の字をよせたマユ。自分でもなさけなかったけれど、「はーい」と元気っぽく大声で返事をした。

玄関のドアを開けるとゆう子ちゃんは、さっき学校で見たのと違うフリフリのついたスカートをはいている。みずえちゃんは頭に赤いカチューシャをつけている。お呼ばれ用のよそいきにちがいない。

二人は同時に、なずなの頭の上から足の先まで、じろじろと見た。二人の目が「パーティーなのに、お着替えしてないの？」と、いっているみたいだった。

なずなは、おしゃれをするひまもなかった。時間があったとしても、よそ行きドレスなんかもってない。いつもどおりのママのおふるの目のつまったセーターに、パパのズボンを改造した青いスカートだ。

「ほんとにやるの？」

なんでもはっきりいう、ゆう子ちゃんが上目づかいに見ていった。

「やるよ、入って」

なずなはママがやるみたいに「どうぞどうぞ」と手を差し出して、二人をまねき入れた。二人は小さな手さげを持っている。少しふくらんでいるのはプレゼント？

なずなは、またドキドキしてきた。台所から、買い物かごを持ったおばあちゃんが、小走りで出て行くのが見えた。

――だいじょうぶかな？

「おめでとう。おまねきありがとう」

ゆう子ちゃんが、おとなみたいにいった。

その横で、みずえちゃんが「おめでとう」と頭をさげた。

「ありがとう」

のどがカラカラになって、声がかすれた。なずなは二人を茶の間につれていった。

煉炭火鉢の上でお湯だけがシュンシュンいっている。ちゃぶ台には、みかんのかけらものっていない。

「あれっ、こんなのまだ使ってんの？」

ゆう子ちゃんが、煉炭火鉢を指差した。

「うちは、とっくにガスストーブだよ」

「おばあちゃんが、どうしても、これがいいっていうから。ママもこまってるの」

なずなはウソをついた。ゆう子ちゃんちは、坂の上の大きな西洋館だ。

「しばらく、なにかして遊んでようよ。それから、おやつにしようね。本式のパーティーは、そうやるんだって。ママがいってたから」

なずなは心配で、胸がはりさけそうだ。「本式」といったのは、おばあちゃんだけどまた、ウソをついた。

「へーそうなんだ。じゃ、いいよ」

ゆう子ちゃんも、みずえちゃんも、ちっともパーティー会場らしくない部屋を見回して、ちゃぶ台の前に座った。せっかくのフリフリのスカートも、カチューシャも、この茶の間では見ばえがしない。

なずなは、もうしわけない気持ちになって、とって置きのぬりえを一枚ずつ出した。

「これあげる。ぬろうよ」「うん、いいよ」

少しも、もりあがらない。ちびっこくなったクレヨンにも、つまらなそうだ。

ガチャガチャ、ゴロンゴロン
とつぜん台所から、いろんな音がしはじめた。おばあちゃんが買い物から帰ってきたらしい。ただでさえ興奮しやすいおばあちゃんだから、もう手はブルブル震えているだろう。ガチャガチャ音がするたびに、なずなの心も、ブルブルしてる。

だいたいおばあちゃんは、昔はお金持ちのオクサマだったから、お料理はほとんど自分で作ったことがないという。おいしく作れるのは、いり豆腐だけだった。ゆう子ちゃんもみずえちゃんも、台所で大きな音がするたびに、ギョッとしたように顔を上げる。

ふたりともぬりえになんか、ますます気乗りがしないみたいだった。なずなの心も台所にしばりつけられて、ぬりえどころじゃない。

そのうち、ぷーんといいダシ汁の匂いがし始めた。

――あれっ？　いり豆腐のにおいだ。やだぁ、お誕生日のおやつに、いり豆腐なんて！

なずなは鼻をヒクヒクさせた。

一年生の時、お誕生日にお呼ばれしたエミリちゃんの家では、チョコレートプディングっていうのが出た。エミリちゃんのお父さんは、日本のアメリカ軍基地にお勤めしていたから、いつもチョコレートやプディングや、ムースという外国のお菓子がたくさんあるのだとママがいっていた。あんなにおいしい物を食べたのは初めてだった。

お誕生日のおやつはああいうふうに、すてきなものじゃなくっちゃ！

なずなの胸の中は、不安で不安で黒い大きな風船がどんどんふくらんでいくようだった。

「あちちち」とおばあちゃんの声がすると、ゆう子ちゃんが見に行かなくてもだいじょうぶ？　って顔をする。

「ちょっと待ってて」

なずなは台所に走っていった。

おばあちゃんは着物にタスキをかけてニンジンをきざんでいる。お豆腐の上に危なっかしくお皿をかさねて水切りしてる。

「おばあちゃん、だいじょうぶ？」

「とびきりのいり豆腐だよ。あっちにいった、いった！」

魚やさんみたいな威勢のいい声だ。寒い日なのに、鼻の頭におおつぶの汗をかいている。これじゃ、いり豆腐なんかいやだなんていえない。なずなはもう、泣きべそ気分で茶の間にもどった。

「えーい、かまこっちゃない。つかっちまえ！」

またまた、おばあちゃんの魚やさんみたいな声がする。みずえちゃんが、ぷーっとふきだした。

「ねえ、外で遊ぼ。庭のバケツに氷が張ってたから見てみよう」

なずなはもうがまんできない。なんでもいいから、二人を外へ引っ張り出したかった。

三人で庭に出た。

庭にあったバケツの表面にできている厚い氷を、コチンコチンと棒でつっついた。いくつかに割れた氷をけ飛ばしてみたけれど、ちっともおもしろくない。

「じゃ、石けりしよっか?」「ふーん」とゆう子ちゃんのつまらなそうな返事だ。

ケンケンパ、ケンケンパとやったけれど、これもすぐに終わった。

「ねぇ、まあだ?」

とうとう、ゆう子ちゃんがいった。

「もうちょっと待って、もうすぐ呼んでくれるよ」

「もう、あたし、寒くなっちゃった」

みずえちゃんが鼻をすすり、えんりょがちにいう。

「じゃ、かけっこしよう、温かくなるよ」

なずなの一番きらいなかけっこ。でも、いまはしょうがない。

「もう、あたし、かえろかな」

ゆう子ちゃんが、ブスッとした顔でいう。

「待って、まって。お願い！」

その時
「さあさ、お入り、お客さまの部屋だよ。どうぞ、どうぞ」

おばあちゃんが、縁側のガラス戸を、パーッと開けた。おばあちゃんは、フーフー肩で息をしている。そして茶の間のとなりのふすまを開けた。

あっ！　茶の間にあったちゃぶ台に、白いテーブル掛けがかかっている。このテーブル掛けは、ママの親友がイギリスから送ってくれたものだ。とびきりのお客さまにしか使わない。白くすきとおったうすい布に、小さな花がいっぱい刺繍《ししゅう》してある。

そのテーブルのまん中に桃色の梅が一枝、コップにさしてあった。裏の田島さんのおじいさんが大事にしている梅。塀ごしに盗んだのにちがいない。でも、その一輪で部屋の中は、お誕生日らしさがあふれている。

――やっぱり、おばあちゃんは、昔オクサマだったのかもしれないなずなは、少しほっとした。

その周りに、お正月用の赤い器が三人分。いり豆腐がこんもり、形よくもりつけてある。お豆腐の白、にんじんの赤、さやいんげんのみどり。

「わー、すてき」

ゆう子ちゃんがいった。なずなはにっこりして、ゆう子ちゃんとみずえちゃんの顔を見た。

――えっ、これってムース？

ねっとりしたムースみたいなものが白い器に入っている。エミリちゃんの誕生日のと同じみたい。でもこの薄紅色の「ムース」から湯気がたっている。あのエミリちゃんちのは冷たかったけど。

このあたたかいムースにも白い梅の花が、ちょこんとのっている。白い器、薄紅色の「ムース」、湯気にかすむ白い梅の花。

この白い梅も田島さんちのだ。

「どうぞ、めしあがれ」

おばあちゃんは、いつものシャキシャキした下町ことばじゃない。なずなまで、ちょっとかしこまる。気になるあたたかいムースを、さっそく口に入れた。

「あれ？　これって」と、なずながいいかけると、

「これはですね、大英帝国のお紅茶で作ったプディングでしてね、気高いものですよ」

おばあちゃんは、なずなの口をふさぐように素早くいった。

ゆう子ちゃんもみずえちゃんも、こっくりと大きくうなずいた。いい香りがして、ほんとに気高そうな感じだった。

「おいしい！」「あまくて、とろーりね」

と、ゆう子ちゃんとみずえちゃんが、顔を見合わせて嬉しそうに笑った。

この香り……　これも確かママの親友が送ってくれたイギリスの紅茶にちがいない。ママの大事な品だった。

――わかった！

おばあちゃんのムースは、片栗粉で作る葛湯に違いない。

風邪を引いた時、ママがいつも作ってくれる。「ホット・プディング。あったまるよ」といって、なずなに食べさせてくれたのを見ていたのだろう。

片栗粉を水でといて、熱ーいお湯をそそぐ。それに、たっぷりのお砂糖を入れて、かきまわすと、とろとろになる。

きょうは特別だから、お湯じゃなくってママの紅茶にしたのだろう。おばあちゃんは、カッコよく工夫してくれた。

ゆう子ちゃんもみずえちゃんも、「へぇダイエイテイコクの」と、つぶやきながらペロリと食べた。いり豆腐も「初めて食べた」と喜んでくれた。

なずなも心のしんまでポッカポッカにあたたまって、ちょっぴり得意顔になった。

「これ、プレゼント」

ゆう子ちゃんが手さげから、小さな包みを出した。

包みを開けると、金色にキラキラ光る丸いボタンに赤い毛糸を通した首かざりだった。

「あたしが作ったの。一番気にいってるけど、なずなちゃんにあげる」

ゆう子ちゃんは、ちょっと、もったいなさそうにいった。

「あたしは、これ」

みずえちゃんが、きれいな箱をくれた。工作がじょうずな、みずえちゃん。きれいな千代紙がはってある。中におはじきと、びー玉がたくさん入っていた。

「ありがとう！」

さっきまで、なずなの胸の中につまっていた黒い大きな風船は、いつのまにかすっかり消えていた。

「ほんとはね、きょう、ママがドーナツ作ってくれる約束だったの。でも、いそがしくってお仕事に行っちゃったの。ごめんね」

スルスルと言葉が出た。

「でも、おいしかったから、いいよ」

ゆう子ちゃんが、ニコニコしていった。

「あたしも、お母さんにダイエイテイコクの、ホットプディング作ってもらお」

みずえちゃんが、まっかな頬をしていった。

「また、あしたね」「さよなら」

二人は帰って行った。

「おばあちゃん！　大成功！」

なずなが茶の間にとんで行くと、おばあちゃんは煉炭火鉢の前で、こっくりこっくり、畳に頭がくっつきそうだ。

「疲れちゃったんだね、おばあちゃん」

なずなは火鉢わきに落ちているぺちゃんこのおさいふをひろった。中はからっぽだった。

「あーあ、おばあちゃん、ほんとに、すっからかんのおてっぱらいになちゃった。ごめんね」

静かな茶の間に、鉄瓶の湯の音がシュンシュンとなっていた。

第5話　イースターの贈り物

茶の間の障子を開けると、おばあちゃんが縁側に立っていた。ガラスにおでこをくっつけて、夜空を見上げている。

「何してるの？」

「今夜はお星さん、出てるかね？」

おばあちゃんはガラスをキュッキュッと手でこすった。なずなも縁側に立って夜空を見上げた。

「あんなに、たくさん出てるじゃない」

コンペイトウみたいな星がいっぱい輝いている。

「そうかい、近ごろなんだか目がかすんでね」

おばあちゃんは、目をくちゅくちゅこすりながらいった。

「よかったよかった。それなら、あしたは縁起よし！」

ブルルンと肩を震わせて
「ナムジソウダイ、ナムジソウダイ」

と唱えた。

「さ、冷える冷える花冷えだね。部屋に入ろう」

もう春だというのに足先がジンジンと冷たい。

「ねえねえ、あした、なにが縁起よしなの？」

なずなは、おばあちゃんの背中をさすりながら部屋に入った。

おばあちゃんは綿のはいったチャンチャンコをはおって、にっこりする。

「あしたの日曜日、丘の上の教会に行こうよ」

「え、キリストさまの教会？　めずらしいね」

最近のおばあちゃんは、ちっとも教会に行かないで「ナムジソウダイ」を唱える神さまの集会ばかり出かけている。おばあちゃんは若いころに、キリスト教の洗礼を受けたクリスチャンのはずだ。

「ナムジソウダイの神さまに、おこられないの？」

「いいのさ、怒ったり、うらんだりするようじゃ、神さまとはいえないよ」

おばあちゃんはいつものように、自分のつごうのよい方へ話を持っていく。

「あしたはね、イースター礼拝さ。キリストさまが十字架につけられて亡くなったあと、三日目によみがえった日でね、そのお祝いのお祭りさ」

「あ、そうか、きれいな色のゆで卵をもらう日だよね」

なずなも思い出した。それじゃ、おばあちゃんの出番だ。おばあちゃんは、こういう特別行事の日ばかり教会にいく。

教会ではキリストの復活を祝って、ゆで卵の殻に色付けして参列者に配るのだ。

いつかおばあちゃんも、黄色や赤や緑色のゆで卵をたくさんもらってきた。

そのころはおばあちゃんも、ゆで卵の色つけ作業に参加していた。教会に早朝から出向いて何十個もの卵に、食用色素で色つけをする。でも、いつのまにか行かなくなった。

なぜ、いかないの？　と聞くとおばあちゃんは「やりたがりやさんが、いっぱいいてね」と、きまってふきげんになる。

きっと、ことわられたのだろう。おばあちゃんは、めちゃくちゃ不器用だし、あわてんぼうだ。それに、そういうときは、まちがいなく興奮して手元がブルブル震えちゃうから役に立たないんだろうと思う。

「残念だけど、あしたはトモちゃんとツクシをとりに行く約束しちゃったんだもん。いかれないよ」

ちょっと、教会に行ってみたいと思ったけれど、なずなはことわった。

「なーに、トモちゃんの方をことわりゃいいさ。大事な人のお葬式とかなんとかいってさ」

そんなこといえない。

「だめだめ」なずなは強く首をふった。

「そうかい。残念だねー。卵よりもっといいことあるのにさぁ」

おばあちゃんは口をへの字にまげて、いじわるくいった。新聞をバサバサと荒あらしくたたんだり、わざと練炭火鉢の上のやかんをガチャガチャのせ直したりして、八つ当たりをする。

自分の思い通りにならないとすぐカッとする、おばあちゃん。

「もっと、いいことってなあに？」

なずなが、ちょっと気にすると
「ないしょ、ないしょ」

おばあちゃんは、少しきげんを直した。

「帰りにさ、くずもちも、つけてあげるよ。どうだい？」

ぐっと首をのばして、なずなに近づいた。

えっ、くずもち！　なずなの気持ちはグラッとゆれた。

「じゃ、トモちゃんにことわるよ。でも、ほんとのこというお葬式なんていわない」

「そうおし、人間は正直じゃなくっちゃね。いつも、おばあちゃんがいってるだろ」

おばあちゃんは、けろりとして正反対のことをいった。

「ところでさ、なーちゃん。今一番ほしいものってなんだい？」

「うーん、いっぱいあるよ、新しい筆箱とか、スカートとか、それからぁリボン」

「そうかい、筆箱でもリボンでも、おやすいごようだ。楽しみにしておいで」

もう、おばあちゃんは、じょうきげんになっていた。なずなはおさげの、さきっちょに結んであるリボンをほどいた。黄色と赤のチェックの両端がほつれている。

くずもちやら筆箱やら、リボンやら。おばあちゃんのお小遣いは、もう、とっくにないはずだ。きのうもママにお小遣いをねだってた。だから、なずなは、おばあちゃんの「何がほしい？」をあまりあてにできない。

でも、明日はきっとお天気。「縁起よし！」の日曜日というから、もしかしたらほんとうに、何かいいことが起こるかも知れない。


三月三十一日、日曜日。卵色の朝日が庭いっぱいにあふれている。ジンチョウゲの香りも、ただよってくる。

なずなはいつもの日曜日より、ずっと早く目をさました。

茶の間でおばあちゃんは、神さまのサカキの水を替えている。とびきり念入りに手を合わせ頭を下げた。

「ナムジソウダイ、ナムジソウダイ」

おばあちゃんは、もうすっかりお出かけ準備をととのえていた。頭からチックのにおいが、ぷんぷんにおう。

なずなはママが作ってくれた赤いギャザースカートをはいた。久しぶりのお出かけで、心がウキウキとはずむ。洗面所の鏡の前で、髪を三つ編みにしながら、「♪月がとっても青いからぁ」と、歌手のまねをして鼻声を震わせた。おばあちゃんの好きな歌謡曲だ。

おばあちゃんは、古ぼけたコートをハンガーにかけて、ブラッシなんかかけている。

——おばあちゃん、今日は洋服でいくんだ

丘の上の教会の神さまを、おばあちゃんは「洋式の神さま」といっているから、かっこうも洋式なのだろう。この黒いギャバジンのコートは、ママのお古だ。

ママもパパも日曜日は寝坊で、八時ころまで二階で寝ている。おばあちゃんは、静かに静かにといいながら、真っ赤に火がついた炭を練炭火鉢に入れた。毎朝五時半に火鉢を整えるのは、おばあちゃんの役目だ。おばあちゃんは練炭の火起こしがすごくうまい。

「なーちゃん、お味噌汁こさえたよ。おしんこと卵かけで、ちゃっちゃと、ごはんすませちゃお」

おばあちゃんが洗面所をのぞいた。

なずなは、よれよれのリボンを持って茶の間に行った。

油揚げの浮いた味噌汁から、ぷーんといい香りがしている。

「ほれ、かしてごらん」

おばあちゃんは、なずなのリボンを取って、なべのふちに、すーっとあてた。リボンはピーンと伸びて、アイロンをかけたみたいにきれいになった。


道路工事ばかりのでこぼこ道を、おばあちゃんは元気よくせかせか歩く。

「こんどはね、省線（現ＪＲ）に乗り換えだよ」

なずなは、おばあちゃんの親友ヤンセンさんが作ってくれた手さげを持ってきた。細かい花がら刺繍《しゅう》がいっぱいついている。

「ヤンセンさんは、教会にいかないの？」

省線に乗り換えて、座席に座ってからなずなは聞いた。

「あの人はリーダーだから教会に泊りがけだよ。ご苦労さんなこったね」

と、そっけない。

スウェーデン生まれのヤンセンさんは働き者だ。薄い水色のガラス玉みたいな目がちょっと寂しそうに見える。

刺繍《ししゅう》がじょうずなヤンセンさんなら、きっと卵の色つけも得意にちがいない。なずなは、おばあちゃんの横顔をチラッと見て、もう何も聞かないことにした。

丘の上の教会につくと、何人もの信者さんが席についていた。

礼拝堂の奥の部屋から、かっぽうぎをつけたおばさんたちが出てきた。色とりどりの卵が入ったかごを持っている。かごに「婦人会」と書かれたリボンがついている。

「あ、ヤンセンさん！」

ヤンセンさんは卵のかごをそっと、十字架のついた祭壇の脇のテーブルに置いた。

「あら、なーちゃんもいっしょなの。それはよかったわ」

ヤンセンさんは、いつものやさしい目で、なずなの肩に手を置いた。

「ごくろうさまです。あなたがいれば、みんな大助かりでしょう」

おばあちゃんは、ていねいに頭を下げる。さっきの電車の中のそっけない言い方とは、ぜんぜん違う。

ヤンセンさんは、また、いそがしそうに奥の礼拝準備室に消えていった。

そのヤンセンさんの茶色いソックスのかかとに、大きなつぎがあたっていた。

オルガンの音といっしょに、礼拝が始まった。

おばあちゃんは、両方の指をしっかり組んで、キリスト教式お祈りすがた。なずなも真似して指を組み、オルガンの音色をきいていた。しばらくすると隣のおばあちゃんの頭が、こっくり、こっくり、ゆれ始めた。なずなは、おばあちゃんのわき腹をクイックイッとつっついた。おばあちゃんはピクンと肩をはね上げて、あわてて聖書をパラパラめくっている。

もう、聖書の朗読なんか終わっているのに。

牧師さんのお話が終わって、また賛美歌を歌って、礼拝は終わった。

婦人会のおばさんたちは、さっと立って出口に行った。帰っていく一人一人に、卵をくばる。一人二個。なずなはヤンセンさんのかごから、黄色と赤い卵をもらった。おばあちゃんは、緑とむらさき。

「きれいだねー。おばあちゃん。食べるのがもったいないみたい」

こんなにきれいに染めるなんて、やっぱり、おばあちゃんには無理だ。卵を割ってしまいそう。

教会の階段を下りたら、おばあちゃんは、また元気が出た。

「さ、これからが本番！　お楽しみ」

せっせ、せっせと坂を下って、駅前広場に出た。ごちゃごちゃした商店街のどこからか、「♪南国土佐を後にしぃてぇー」と、大流行の歌謡曲が流れてくる。なずなの頭の中に、まだ残っていた讃美歌のオルガンの音がかき消された。

「おしるこ」と書かれた紺色の、のれんの前で、おばあちゃんはとまった。

えっ！　くずもちのほかにおしるこもつくの？　なずなは思わず手を打った。

おばあちゃんと店の中に入った。ふたりのおばあさんが、もう奥の座敷にいた。

「まぁ、ミチさん久しぶり。ちっとも来ないんだもの」

先に座っていた太ったおばあさんがいった。

「いえね、娘が勤めに出てるんで、わたしが家事ぜぇんぶやってるのよ。いそがしくって、いそがしくって」

おばあちゃんは、自分の「家出」のことも、「ナムジソウダイ」の神さまのこともいわない。「家事ぜぇんぶ」に力をこめていった。

なずなとおばあちゃんも、小さな座敷に上がった。

そうするうちに、また、ふたりのおばあさん。何だかんだと互いにあいさつをしていると、ヤンセンさんもやって来た。なずなをいれると合計十一人。

「さ、やりましょうか。お楽しみくじ」

おしるこを注文してから、みんなより少し若いおばあさんがいった。

白い紙を出して、ていねいに縦線を引く。その間に横の線。そして、一本の線の下に「あたり」と書いた。そこを見えないように折り曲げた。

「あ、知ってる、アミダくじ！」

なずなは大きな声でいった。

「そうよ、わたしたちおばあさんのお遊びよ」

横に座っているヤンセンさんが、笑ってる。

おばあちゃんは、お遊びのわりにはフーフーと息が荒い。一人だけ真剣だ。

十人のおばあさんのうち五人が、線の上に名前を書いた。おばあちゃんは、真中を選んで「ミチ」と書いた。おばあちゃんの本当の名前はマツ。でも若いころ、有名な占い師さんが「ミチ」のほうが、お金に恵まれるといったので、すぐ変えてしまったそうだ。

「じゃ、いきますよ」

さっきのおばあさんが、五人の名前の線の先を赤えんぴつで、カクカクとなぞっていく。

「あらぁ、残念、はずれたわぁ」

向かいに座っている紫色の着物のおばあさんが、残念そうにおでこをペンペンたたいた。

おばあちゃんが、なにかぶつぶついっている。きっと、あのおまじない「ナムジソウダイ」にちがいない。

四人目。

「わぁ、おめでとう。ヤンセンさん!」

パチパチと大きな拍手。そのとたん、おばあちゃんの背中が、ふにゃりと前かがみになってしぼんでしまった。おばあちゃんはハズレだ。

いくら名前を変えても、おばあちゃんに「金運」はついてないみたい。

「さ、ヤンセンさん、大当たり。大金ですよー。気をつけて帰ってね」

みんな笑いながら、運ばれてきたおしるこを楽しそうに食べ始めた。

十人で一ヶ月五十円ずつ積み立てて五百円。六ヶ月に一度のアミダくじお楽しみ会の時には三千円になる。当日アミダくじに当たった人に三千円を渡す仕組みだ。

「一度くじが当たった人は抜けていくから、くじを引けるのは、今月は五人だけ」

ヤンセンさんが小声で教えてくれる。

「おばあちゃんも、ちゃんと積み立てしてる？」

なずなは急に心配になった。

「ええ、ええ、ちゃんとわたしが預かって、幹事さんにわたしてるのよ」

ヤンセンさんは、だいじょうぶよ、と笑顔でうなずいた。

――へぇ、おばあちゃんって、こういうことはきちんとやってるんだ
「お年よりはね、あまりまとまったお金に縁がないでしょ。だから、こうしてみ

んなでボーナスごっこして、楽しんでるのよ」

——よかった。ヤンセンさんが当たって。このボーナスで新しいソックス買えるね！

なずなはほっとしてヤンセンさんに、微笑み返した。

おばあちゃんは、ひとこともしゃべらずに、おしるこを食べている。

ヤンセンさんは、なずなと同じような刺繍《ししゅう》の手さげに、お金の封筒を「お先に、いただきます」といって、だいじにしまった。

「おしるこ会」が終わって、みんなばらばらに帰っていった。ヤンセンさんは、内職の刺繍《ししゅう》糸を買いに行くといっていた。

急に黙ってしまったおばあちゃんと、とぼとぼ駅に向かった。おばあちゃんのいっちょうらのギャバジンのオーバーが、ふやけたワカメみたいで、さみしかった。

ホームにあがって電車を待っていた。

「ミチさん、ミチさん」

ヤンセンさんが息を切らして、ホームの階段をあがってきた。

「あれ、ヤンセンさん。どうしたの？」

おばあちゃんは、ベンチから立ちあがってかけよった。なずなもびっくりして
ヤンセンさんに走りよった。

ヤンセンさんはハアハアと肩で息をしながら、ベンチにぺちゃんと座った。

ハアハア。

「ごめんなさいね、気がつかなくて」

「？」

なずなとおばあちゃんは、ヤンセンさんをはさんで座った。

「なーちゃんが、せっかく来てくれたのに。ね、ミチさん、これ今回はあなたが
使って」

ヤンセンさんは、さっきのお金の入った封筒を、おばあちゃんの手に渡した。

「めっそうもない。そんなことできない！」

「いいの、いいの、あたしとあなたの仲じゃない。今度あなたが当たった時、わたしがいただくわ」

ヤンセンさんの気持ちは、かたいらしい。おばあちゃんのことばを、おしもどしながら、封筒をおばあちゃんの手の中に押し込んだ。

「ね、なーちゃん、きょうはうんとおねだりしていいわよ」

ヤンセンさんは、いつもの倍くらいやさしい笑顔を残して、階段を下りていった。

「ありがとう」

なずなは、ヤンセンさんの少し丸い背中にいった。

あの、つぎあてソックスを買いかえるのは、まだ先になるかもしれない……

なずなはゴクンとつばをのんだ。鼻の奥がツーンと痛くなったから。

「なーちゃん、ヤンセンさんはやさしい人だね。おばあちゃん、だいすきだよ。長い長いつきあいだもの。親友てのはいいもんだね」

おばあちゃんは目をおさえた。

「ハンケチ、ハンケチ」

鼻をぐしゅぐしゅいわせながら、キンチャク袋をかきまわす。ハンカチを取り出してチィーンと鼻をかんだ。

おばあちゃんは、みるみる元気になった。

「さーて、どこいくかねぇ、しこたま買い物するんだから、フロシキもってくりゃよかったね。なーちゃん」

なずなはまだ、ヤンセンさんの後ろ姿が目の前に残っている。青いすきとおった目は、ヤンセンさんの心そのものだとなずなは思う。

――ヤンセンさん、ごめんね。でも、ものすごくうれしい
心の中でいってみると、少し胸が軽くなった。

「新しい筆箱がほしいな。筆箱買って。おばあちゃん。でもさ、むだづかいする

のやめようね。リボンはもう少しがまんするよ」

「なーに、お金は天下の回りもの、ってね。なくなりゃ、またどっかから回ってくるさ。けちけちするんじゃないよ」

おばあちゃんの頭の中にはもう、ヤンセンさんはいない。何を買おうかでいっぱいになっている。

なずなはふと思った。

きょうはほんとに「縁起よし!」の一日なのだろうか?　と。

第6話「ヘイドー《さよなら》、ヤンセンさん」

最近おばあちゃんは、なんだかいそがしそうだ。

ある日、なずなが学校から帰ってくると、茶の間のラジオから大きな音がきこえてくる。

「おばあちゃん、ただいま」

「しっ！」

ラジオの前に正座して、おばあちゃんは人さし指を口にあてた。

——また、なにか始まった
なずなはしかたがないから、茶だんすの戸をパタンパタン開けて、おやつをさがした。

そのときだ。

「北川ミチさんから、お寄せいただいたお便りを読ませていただきます」

とアナウンサーの声がする。

「なに、なに？」

なずなは、おばあちゃんの横にすべりこんだ。

『娘と幼い孫三人で、中国大陸を逃げ回ったあの日……。匪賊に追われ火の海に囲まれ……、食べるものもなく、寒さに凍え、よく生きてこられたと思います……』

——あれ？　マサエおばあちゃんの話ににてる
中国から引き揚げてきたという、おばあちゃんの友だちの話だ。おばあちゃんが、よくする戦争時代の話は、いつもこのマサエおばあちゃんの話で終わる。そしてきまって、

「あたしなんかは日本にいたから、まだよかったんだよ」と、いっていた。

おばあちゃんは真剣な顔で、うんうん、とうなずきながら、ラジオを聞く。

しばらくして、「ご無事で、帰国なされてよかったですね」と、話は終わった。

「きょうの『人生の旅路』は、北川ミチさんからのお便りでした」

アナウンサーの声がして、番組も終わった。

何がなんだかわからない。なずなが、ぽかんとしていると、

「やれやれ、これでいくらかもらえる」

おばあちゃんは、トントンと肩をたたいた。

「どうしたの？　おばあちゃん、今のラジオの話」

「いろいろ、あってね」

おばあちゃんは、ちょっと、こまったような顔をした。

「ま、いいや、なーちゃんには教えとこうかね。パパやママには、ないしょだよ」

おばあちゃんはニコニコして、新聞のラジオ版をなずなに見せた。

「こういう番組があってね。とびきりの苦労話を聞かせる番組さ。いろいろ、とりまぜて手紙にして出したらね、放送されたんだよ。おばあちゃんは、昔からつづり方が得意でね。採用されれば、少々こづかいになるんだよ」

「へぇ、すごい！　でもさっきの話、マサエおばあちゃんの話がまじってる」

「いいのさ、うそも方便ていってね、大事なうそも、世の中にはあるのさ」

いいながら、おばあちゃんは、あわてててちゃぶ台の上に散らばったハガキを集めた。

「この『薬膳美人』と『料理の知恵袋』も採用されると薄謝がもらえるんだよ」

「はくしゃって?」

「わずかだけど、いくらかのお礼がでるんだよ」

「どうして、そんなにお金がいるの?」

「そこなんだよ。ヤンセンさんがね、秋にスウェーデンに帰るってさ。十年以上も日本にいたのにねえ。さびしくって、さびしくって」

「えーっ、あたしもさびしい。スウェーデンには、妹がたった一人いるだけって、いってたのに」

ヤンセンさんは、おばあちゃんと同じ、もうすぐ七十歳だ。いまでも、細かい刺繍《ししゅう》が、とてもじょうずで、なずなのブラウスや、手さげにも、すてきな刺繍《ししゅう》をしてくれる。

「年をとるとやっぱり、生まれ故郷がいいんだねぇ。その妹さんと暮らすって。向うに帰ってもたいへんだろ。記念品の代わりに、いくらか、まとまったお金を持たせたくってさ」

なずなは、ヤンセンさんのあのさみしそうなブルーの目を思い浮かべた。

「でもまとまったお金って、いくらぐらい？」

日ごろから、お金使いの荒いおばあちゃん。貯金なんか、ぜんぜんないはずだ。

「そうさね、せいぜい三千円くらい」

おばあちゃんは、急にしょぼくれた声になった。

「えーっ、無理、無理、おばあちゃんには絶対無理、宝くじが当たらなくちゃ無理だよ」

「だからさ、あんたも、ヤンセンさんのために手伝っておくれよ。勉強なんざ、たいがいにしてさ」

おばあちゃんは、せかせかと応募ハガキを書きはじめた。


夏休みも半分過ぎた。宿題もたまっている。

「さっさと宿題をやりなさい」と、ママにおこられてばかりの毎日だ。

仕方なく夏休み日記を書いてると、週刊誌を買いにいったおばあちゃんが帰ってきた。

「おばあちゃん、賞金どのくらいたまった？」

なずなは、おばあちゃんのところにいった。

「ぜんぜんだよォ、こまっちまうよ」

おばあちゃんはメガネをはずして、しょぼしょぼの目をこすった。

「薄謝ばっかりじゃねぇ。どうにも間に合わないよ。どうすればいいのかねぇ」

なずなも、ため息をつく。

昼から川向こうの雑貨屋さんのトモちゃんちに、おはじきを買いに行った。川の水もどんよりとして、なまぬるそうだ。
――スウェーデンの夏はどうなのかな？　冬はすごく寒いっていってたよなぁ
なずなは橋をわたりながら、ヤンセンさんのことを考える
デパートから頼まれる刺繍《ししゅう》の内職に、いつも追われているヤンセンさん。右手の指は普通の人よりずっと太い。
――三千円なんて、できっこないよ。宝くじが当たれば別だけど
なずなは足元の小石をけった。小石はころがって、橋のたもとの電柱に当たった。

ふと、なずなが顔を上げると、電柱にはり紙がしてある。

『たまご集めしてみませんか。どなたにも出来る簡単な作業です。午前6時から9時まで。西島養鶏所』

その下に地図があった。

――わっこれだ！　これ、おばあちゃんのアルバイト！

川上のほうで、いっぱいニワトリをかっている農家を見たことがある。あの家なら、そんなに遠くない。

なずなは、走って走って家に帰った。

おばあちゃんは、しょんぼりと庭を見ていた。

「おばあちゃん！　いいアルバイトみつけたよ！」

なずなは、今見た貼り紙のことを、いっきに話した。どっと汗がふき出した。

ニワトリといったとたん、おばあちゃんは、強く首をふった。

「プルプルしたトサカを見ると気持ちが悪くなっちゃうよ」

「そんなことといってたら、ぜったいにお金たまんないよ」

なずなは、かみつきそうな勢いで声を張り上げた。

「そりゃそうだけどさ。あの目もどうもねぇ……」

「ヤンセンさんの出発は九月十八日だよ。まにあわないよ！」

「わかったよ。そうケンケンいわないでおくれよ」

おばあちゃんは、ぐんにゃり首をたれてうなずいた。

「じゃ行こう！」
おばあちゃんをつれて、なずなはまた土手に出た。ずっと川をさかのぼって行くと、大きな農家が見えた。
コーコッコ、コーコッコ
近づくにつれニワトリの声がわきあがる。ふたりはムッとした臭いにつつまれた。

「やだねぇ、この臭い」

おばあちゃんは今にも逃げ出しそうだ。

「だめだめ、がんばって行くの！」

農家の庭先でなずなは、おばあちゃんにきつくいった。

おばあちゃんはうなだれて、事務所と書かれたガラス戸をたたいた。

事務所の先に低い屋根がずらーっと並んで見える。一列が五つの小屋に区切られている。一つの小屋は教室の半分くらいの広さだ。その中に四、五十羽のメンドリがいる。メンドリたちは、おしあいへしあい、すっかり空っぽになったエサ箱のすみを、まだつっついている。がんじょうな金網をはりめぐらしてある小屋の四隅に、太い枝が渡してあった。その上にまっ赤なトサカをぷるんぷるんさせたオンドリが一羽、ギョロッとにらみをきかせていた。

しばらくすると、おばあちゃんが事務所から出てきた。

「明日から来てくれって。家でもニワトリをたくさん飼ってましたから卵取りは、お手の物っていったら、すぐオーケーさ」

「えっ、ニワトリなんか飼ったことないじゃん！　そんなことといって、だいじょうぶ？」

「うそも方便って、教えたろ。これは大事なうそなんだよ。ヤンセンさんのためなんだからさ」

おばあちゃんは、ヤンセンさんのところに力を入れた。

「なんとかなるよ。オンドリ一羽や二羽で、じたばたするような、おばあちゃんじゃないよ。悪さしたら、トサカをねじってやる」

おばあちゃんの決意はかたそうだった。

「ところでさ、この養鶏所、のびのびしてていいね。気に入ったよ。コーッコッコおいでおいで」

おばあちゃんは、やけに明るくなって、指を金網にさしこみながらニワトリを呼ぶ。変身したみたいだった。

翌朝、おばあちゃんは五時半に家を出ていった。

なずなが一人で朝ご飯を食べていると、おばあちゃんが、とぼとぼ帰ってきた。時計を見るとまだ七時だ。

「あれ、早いね。どうだった?」

なずなは玄関へ飛び出していった。

「ぼちぼちさ」

おばあちゃんは元気がない。

三日目の朝、おばあちゃんはきのうよりもっと早く帰ってきた。

「なーちゃん、助けておくれよ。おばあちゃんどうしても、あのオンドリと性が合わなくってさ」

おばあちゃんはこの三日間、決められた五棟の小屋の卵を取りきれなかったのだ。もう来なくていいと、いわれてしまったと白状した。

「でね、頼んじまったんだよ。ニワトリよりすばしっこくって、しっかり者の孫をつれてくるから、孫の夏休みの間だけ、やらせてくださいって」

「えーっ、ひどいよ。そんなの！」

「ね、ね、乗りかかった船ってことばがあるんだよ。たのむよ。かわいそうな年寄りを助けると思ってさ」

「おばあちゃん、つごうが悪くなると、急にかわいそうな年寄りになっちゃうんだから！」

なずなは口をとがらせた。

でも、大好きなヤンセンさんのためだしなぁ……しょうがない。手伝うしかないか。

次の日、おばあちゃんに五時に起こされた。なずなは、ふらふらしながら着替えをして、顔も洗わずに外へ出た。夏といっても、外はまだひんやりしている。

「あぁ、眠い、すごく眠い」

「ごめんね、なーちゃん。今日もきっと暑くなるね。アセモができるといけないね」

おばあちゃんは、なずなの背中をこすってくれた。

川原の土手に出ると、さわやかな風が心地よかった。すみきった藍色の世界の中に、ぽちぽちと明かりのともった家が見える。中央に流れる川が銀色の帯のように横たわる。

こんなに静かでさびしい中、おばあちゃんは三日も一人で通ったのだ。

――おばあちゃんにしては、頑張ったよなぁ
なずなはちょっぴり感動した。

「おばあちゃん、あたしがんばるからね」

おばあちゃんは、「すまないね」と鼻をすすった。

養鶏所につくと、おばあちゃんは事務所に入っていった。しばらくして

「孫を連れてきたっていったら、ふたりで一人分のお給金だってさ。一件の小屋につきで三十円ぽっちだよ。」

おばあちゃんは不満そうな声でいった。それでも、ふたり分の作業着を貸してくれたらしい。軍手、もんぺ、かっぽうぎが一組になって、ふたつ。

「やだぁ、こんなの着るの？」

なずなはお給金のことより、このほうがずっといやだ。ぐずぐずいいながら、スカートを、だぶだぶのもんぺにはきかえた。その上に大きなかっぽうぎ。ピエロみたいだ。おばあちゃんは手さげの中から、日本手ぬぐいを出して、自分の頭にくるりとまいた。

「なーちゃんには、ちょっとかわいい手ぬぐいだよ」

桃色の桜の花がついている手ぬぐいを、自分と同じように、くるりと巻いてくれた。

「おー、かわい。あねさんかぶりが、よくにあう」

おばあちゃんは一生懸命、なずなの機嫌をとっている。

「あら、かわいいじゃないの」

養鶏所のおばさんが来て、子ども用の小さい長靴をかしてくれた。

あたりはすっかり明るくなっている。遠い山やまに、金色の朝日が輝いている。

養鶏所の入り口の方から人の声がする。なずなたちと、同じようなかっこうをしたおばさんたちが、何人も入ってきた。

「おはよぉー」

おばさんたちは、おばあちゃんに声をかけて、さっさと左側のニワトリ小屋のほうへ行った。竹かごを三個ずつ両腕にかけて、きめられているらしい小屋に入っていく。

「さ、こっちこっち、おばあちゃんの小屋はこっちだよ」

おばあちゃんも負けずに、竹かごを三個ずつ両腕にかけた。

五棟の端っこの小屋に、なずなをつれていった。

「ほら、あの奥にベッドみたいな棚があるだろ、あそこが産卵所っていってね、卵を産む場所なんだよ」

その小屋の止まり木にも、この間見たと同じようにオンドリが一羽いた。するどいつめを止まり木にひっかけて、羽をバサバサやっている。この小屋のボスみたいだ。

「あれと目をあわせちゃだめだよ。あれは性悪だから。さ、行くよ」

おばあちゃんはニワトリ小屋の大きなカギをはずした。そして素早く戸を開けて中になずなを引っ張り込んだ。そのとたん、オンドリが、ぱーっと大きな羽を広げて、別の止まり木に飛び移った。それを合図にしたように、何十羽というメンドリが、いっせいにバタバタと舞い上がる。

「きゃーっ」

なずなは頭をかかえて、しゃがみこんだ。

「お助けくだされーっ！」

おばあちゃんも六個のかごをすっ飛ばし、なずなの上に倒れこむ。

「ほらほら、落ち着いて、さわがないさわがない」

どこからか、養鶏所のおばさんの声がして、なずなとおばあちゃんは、ニワトリ小屋からひっぱり出された。

「何日たってもだめだねぇ。すぐ、お助けくだされぇーになっちゃうんだから」

おばさんは顔をしかめていたけれど、目は笑っていた。

「かっこうだけは一人前なのにね」

と、なずなをふりかえる。

「いっしょに入ってあげるから、あんたやってごらん。さわがなけりゃ、ニワトリはおとなしいんだよ」

なずなの手を取って、おばさんがいう。

もう、いやっ、て思ったけど、青ざめたおばあちゃんの顔を見て、「はい」とうなずくしかなかった。

びくびくしながら、おばさんといっしょに小屋に入った。まだ、やわらかな白い産毛が、ふわふわと舞っている。

「さわいだのは、あのオンドリが先なのにさ」

おばあちゃんは、ぶつぶつ小声でいいながら、腰をかがめてそろりそろり、ついてきた。

おばさんの足元に、もくもくとわくようにニワトリがよってくる。

コーコッコ、コーッコッコ、コーッコッココケー
おばさんはズズズーと長靴の先でニワトリをかきわける。

なずなは、おばさんのもんぺにしがみついた。おばあちゃんは、なずなのもんぺのはしをにぎりしめている。

「ハイハイハイ」

おばさんはミルクをほしがる赤ん坊をあやすように、ニワトリに返事をする。片方の手に、にぎっていた少しのエサを、産卵所と反対のほうへばらまいた。

コーコッコ、コーッコッコ、コーッコッココケー
ニワトリは争って向きを変え、まかれたエサにとびついた。そのすきにおばさんは、なずなとおばあちゃんを産卵場所の前におしだした。

ベッドのような産卵所の囲いの中に、もみがらが、ぎっしりと敷きつめてある。その中に四、五羽のメンドリがじっとうづくまっていた。

「卵をおなかの下で、温めてるんだよ」

おばさんがいった。メンドリたちはエサをほしがってさわぐこともなく、目をとじている。羽を丸くふくらませて、いっしょうけんめい卵を守っていた。

おばさんは、その中の一羽のメンドリのしっぽを、いきなり持ち上げた。メンドリは急にしっぽを持ち上げられて、動きがとれない。ただキョロキョロと首を回すだけだ。そのすきに、素早く卵をぬきとった。

「ね、これがコツ。高くしっぽを持ち上げるの。やってごらん」

なずなは恐る恐る手をだした。

「なーちゃん、つっつかれるよ、およし！」

おばあちゃんが、なずなのもんぺをひっぱった。

「えいっ！」

なずなは右手でメンドリのしっぽを思い切り持ち上げた。ニワトリは思ったよりずっと重い。急いでおなかの下に左手を入れた。ほっこりとやわらかく温かい。その中にコツンと指にふれた卵があった。なずなはつかんで、さっとぬきとった。

「よし、よくできた！」

おばさんが、なずなの肩をポンとたたいた。

「あったかーい！」

なずなは両てのひらで、卵をつつみこんだ。

「どれどれ、ほんとだ。なんだかもうしわけないねぇ。いっしょうけんめい温めているってのに」

おばあちゃんは、大切に受け取って、卵をかごに入れた。今、卵をぬきとられたメンドリは、おなかの下のもみがらを、足でけちらしたり、口ばしでつっついたりして卵をさがしている。どこにもないとわかると、あんがいあっさりと産卵所を出て行った。そのメンドリと入れ違いに、別のメンドリがよたよたと入ってきた。

「じゃ、なーちゃん、もういっちょ、やっとくれよ」

おばあちゃんは、なずなをせかす。なずなは、またしっぽをつかんで高く持ち上げた。

「それいけっ！　なーちゃん！」

おばあちゃんは、なずなの後ろでかけ声だけだ。手は出さない。でもおばあちゃんのいさましいかけ声にあわせて、竹かごに卵はふえていった。

「ほんとに、しっかりした子だ」

おばさんは、安心したようにニワトリ小屋を出て行った。

産卵所の囲いのもみがらの中に、産みっぱなしの卵が、まだいくつもあった。温めるのが、めんどうになってしまった母ドリもいるのだろう。なずなはサクサクと、すみからすみまで、もみがらを、ひっくりかえして、ひろい集めた。卵でいっぱいになった竹かごを、おばあちゃんは小屋の外に運び出す。なずなはその間も、せっせせっせと卵を集めた。

そしてつぎの小屋へ。おばあちゃんの足どりは軽い。集まってくるメンドリたちに「ハイハイハイ」と、おばさんのまねをする。

約束どおり三つの小屋ごとにかごを取り替えて、卵集めが終わった。もう十時をすぎていた。でも、おばさんはおこらなかった。

「ごくろうさん。あしたもたのむね」

と、なずなにいった。

その日から十五日間、なずなの残りの夏休みは、卵集めだけで終わってしまった。

アルバイトの最後の日、おばさんが、おばあちゃんにお給料を渡した。

おばさんは小声で、「ほんとうは、これなずなちゃんの賃金だよね」と、笑った。

その代わり、なずなにはいま自分で取ったばかりの生温かい卵を十個と、もぎたてのトマト五個とふかしたオイモをくれた。

朝日が背中いっぱいに当たる。土手の月見草がピンク色にまだ咲いていた。

「開けてみようか」

おばあちゃんがアルバイト料の袋をふった。

「うん、うん、見てみよう」

なずなも見たくて、うずうずしてた。

おばあちゃんは袋を持ち上げて、朝日に向かって頭を下げた。

「わぁ、ありがたいね、なーちゃんのおかげだよ」

一三五〇円。夕べ、おばあちゃんとふたりでアルバイト料を計算して知っていたけれど、やっぱりうれしい。はじめのおばあちゃんの三日間分もちゃんとくれた。

「だけど三千円にはたりないね。おばあちゃん」

「ママがたしてくれるって。それに、こないだの薄謝の分もあるし」

おばあちゃんは肩をすくめていった。

「うそも方便って、すごくすてきだね」

なずなも肩をすくめた。

「せいいっぱい、がんばったから、これだけでいいよね」

「いいさ、ヤンセンさんだもの。わかってくれるさ」

おばあちゃんは、晴れやかな顔で笑いながら、うなずいた。

朝日を背にあび、ふかしイモを食べながら歩いた。


九月十八日。いよいよヤンセンさんが帰る日だ。横浜の港まで、ママもいっしょに送りに行くという。

すがすがしい風が流れ、ヤンセンさんの目の色と同じようにすきとおった青空が広がっていた。新しい門出にぴったりの朝だ。

「お天気でよかったね」

なずなは赤いギャザースカートを、はきながらいった。

おばあちゃんは、昨夜よく眠っていないのだろう。しょぼしょぼした目が赤い。

おばあちゃんも、いっちょうらの着物を着ている。今日は、着物がグズグズして、形がぴしっと決まっていない。おばあちゃんは、けだるそうに、帯の具合を直している。

ヤンセンさんが土管広場の角から出てきた。いつものロングスカートじゃない。きょうはめずらしいズボンすがただ。青いブラウスに刺繍《ししゅう》のついた手さげを持って、なんだか少し若返ったみたいだった。

ヤンセンさんのブラウスから、ほんのりと、ジンチョウゲのような、香水の香りがただよった。やっぱり、自分の生まれた国へ帰るのはうれしいんだなと、なずなはヤンセンさんの上気した赤い頬を見て思った。

「ヘイドー、ヤンセンさん。せいいっぱい長生きしてちょうだいよ！」

と、おばあちゃんがいった。ヘイドーはスウェーデン語のさようならだ。

ずっと前にヤンセンさんに教わった言葉だ。横浜に到着してから、おばあちゃんは涙声ばかり。ブルブルとふるえた手で、アルバイトの給金にママが足してくれたお餞別を渡した。おばあちゃんはヤンセンさんの手をきつくきつくにぎった。

「ヘイドー、ミチさんもよ！　おたがいに長生きしましょうね」

二人の声は周りのざわめきの中に、かき消されてしまう。

ヤンセンさんの目から、涙があふれ出た。おばあちゃんは、もう声にならない。もっとたくさん、いうことがあるはずなのに、ふたりとも、ただ手をにぎりあって、見つめ合うばかりだ。

ママも泣いた。なずなも、しゃくりあげた。

「ヘイドー、ヤンセンさん。元気でね！」

なずなは、やっとそれだけいって、ヤンセンさんの胸に顔をうずめた。

「さ、もう、行かないと」

ママにうながされて、ヤンセンさんは栈橋を渡っていく。ふり返り、ふり返りヤンセンさんは手をふった。そのちいさな後ろ姿が、涙でかすんでぼやけてしまう。

船の甲板から投げられる色とりどりの紙テープ。テープはからみあいながら天の川のように流れて埠頭の見送りの人びとをむすぶ。

「さようならー、さようならー」

なずなは船上から投げられた紙テープを拾って握りしめた。ヤンセンのテープではないとわかっていても、きっとつながる。「さよならー、さよならー」と声をかぎりに叫んだ。

港いっぱいに「蛍の光」の曲が流れ、ボーボーと出航の汽笛が鳴った。

ヤンセンさんの姿は、甲板に集まった人びとの中にうずもれて見えない。でも、ちぎれるほど手を振ったなずなの指先に、ヤンセンさんのつけていた香水の香りが、ほんの少し残っていた。

「なーちゃん、こんどスウェーデン語習おうか。きっときっと、ふたりしてスウェーデンに行こうよ」

おばあちゃんは、大泣きべそのグチャグチャ顔で、なずなの手をにぎった。

「うん、行こう、行こう。きっとまたヤンセンさんに会いに行こう」

なずなも大泣きでいった。

ヤンセンさんを乗せた船は、ゆっくりと向きを変えて、真っ青な大海原へと動き出した。

第7話　夜行列車

昨日の夜のパパとママのヒソヒソ話。
あれはいったい、なんだったんだろう?
「わかったわ、おばあちゃんには帰ってもらいましょう」
たしか、ママはそういってた。
でも最近はおばあちゃん、やっかいなことはなにもしていないと、なずなは思う。
今おばあちゃんは、お正月用の小遣い集めで大忙しなのだ。
「ここんとこ、夢見がいいんだよ。白いヘビが出てきたり、財布をひろったりの夢でね。きっと、正夢になるよ。縁起がよさそうだ」

と、ワクワクしながらクロスワードのクイズだけに集中してる。

それなのに……

きょう、ママは仕事を休んでるし、なんだか変だ。

「ただいま」

なずなが学校からもどって玄関に入っても、コトリとも音がしない。

茶の間をのぞいた。

おばあちゃんとママが向かい合って、ムッツリ座ってる。夕立前みたいな重苦しい空気だ。いまにもビリビリと稲妻が走りそう。

「いいよ、帰るよっ！」

おばあちゃんが泣きそうな、ひょろひょろ声でいった。湯のみ茶わんを持っている手が、ブルブル震えてる。

――たいへん、はじまった！

なずなはそこにいていいのか、悪いのか迷った。

「けじめをつけりゃいいんだろ。けじめを！」

入れ歯がカクカクなって体まで震えだした。

なずなはドキドキしてママを見た。

「パパが三年間、名古屋に転勤なの」

ママはおばあちゃんにこたえず、なずなにいった。顔が青白い。くたびれきってる感じだ。

「えーっ、引っ越すの？」

「そう。だから、おばあちゃんには、けじめをつけて富士夫おじさんの所に帰ってていったのよ。富士夫おじさんは長男なんだから、ちゃんと親のめんどうを見る義務があるからね」

ママはなずなに訴えるようにいう。

そんな義務って、だれがきめたの？　と聞こうとしたら、

「まぁ、古くさい考えといわれるかもしれないけど、昔からそうだから」

と、ママはモゴモゴ歯切れが悪い。

でも、そんなことは今どうでもいい。

なずなの頭に「転校」ということばが爆発した。

「親孝行に長男も長女もあるもんか！　ねぇ、なーちゃん！」

おばあちゃんも、なずなに訴える。

「やだ、転校なんか！」

なずなはママのこともおばあちゃんのことも、よく聞いていない。

「ほれ、ごらんよ。なーちゃんも反対だ。逆上がりもできない子が、転校してちゃんとやっていけるわけがない。あたしが見守っててやらなきゃ、どんな子に育つか心配だ」

おばあちゃんは、なずなのことばにとびついた。

「だって、パパの仕事のことですもの。しかたないでしょ」

ママはうんざりしたように、肩を落とした。ずっとこんなふうに、いい合っていたのに違いない。

「とにかく今夜、パパからお話があるから」

ママは話をきりあげて、お使いに逃げ出した。

「なーちゃん、どうすりゃいいんだい。そりゃ、転勤はしかたないさ。でも、おばあちゃんが、富士夫のとこに帰らないっていってるのは、あんたのためにいってるんだよ」

おばあちゃんは急になずなに、押し付けるようにいった。

「こんな一大事の時に富士夫のところに帰るなんて、言語道断だよ。あー、クワバラ、クワバラ！」

おばあちゃんは、走り終わった馬みたいに、ぶるぶるぶると強く首をふった。

クワバラ、クワバラは、いやなことや災難をふりはらうときに使う、おまじないらしい。

ほんとにクワバラ、クワバラだ。

なずなは、逆上がりもうんていも飛び箱も、じょうずにできない。それに新しい友だちとも、なかなか親しくなれない。できないことばっかりのなずなだから、新しい場所は大のにがて。もう、今から泣きそうだった。


夜になって、パパがきちんと話をはじめた。

9月中に一足先にパパが名古屋にいく。その後なずなとママが、いろいろな手続きを済ませて引っ越しをする。

もう、会社の段取りできまっていた。おばあちゃんの出る幕はなかった。

「急なことでおばあちゃんには、もうしわけないけれど、あっちが落ち着いたら、知らせますよ」

とパパにいわれて、おばあちゃんは下を向いたままだ。昼間の勢いはぜんぜんない。

「ね、おかあさん、それでいいでしょ」

こんどはパパが味方だから、ママは元気がいい。なずなもイヤだとはいえないくらい、ママの声はキッパリしていた。

パパとママが二階にあがっていった後、おばあちゃんが声をひそめていった。

「なーちゃん、心配ご無用だよ。おばあちゃんにはいい考えがある。パパさまより強い神さまが味方だからね」

いったい、どの神さまが味方してくれるというんだろう？

なずなはショックで、聞く気にもならなかった。

きっと、パパが会社から帰ってくるまでの間に、おばあちゃんはなにか考え出したに違いない。

「そうさね、いったんはいうこと聞いて、富士夫のところへ帰るよ。ひと月ほどのがまんかね。そしたら「母危篤」って、電報打つからさ。へへへ。青くなって絹子はとんでくるだろ。そしたらピンピンして、絹子にくっついて名古屋にいくさ」

おばあちゃんは、とんでもないことをいいだした。

「だめだよ。そんなこと！」

なずなはギョッとして、おばあちゃんをたしなめた。

「そうかい、それならあたしゃ、いつまでたっても名古屋にゃいけないよ。あんたは不良になっちまう。落ち着いたら知らせるなんて、あてになるもんか」

おばあちゃんは、フガフガ声をあらげて、なずなが不良になると、きめつけた。

「だって、いくらなんでも、そんな嘘、よくないよ」

「そんなことないっ。おばあちゃんが、よくいってるだろ。「嘘も方便」て。ちゃんと教えたことは、覚えとかなくちゃいけないよ。人を正しい教えにみちびくためにゃ、やむにやまれぬ、嘘もあるんだよ。仏さんの尊い教えだからね」

「でも、ママもパパもおこるよ」

なずなは、ダメダメと強く首をふった。

「絹子が四の五のいわずに、だまって親孝行するなら、そんな手段はとらないよ。おばあちゃんだってつらいけど、かわいい孫のためなら、いつでも悪人になるさ。年寄りの最後の奉公と思ってさ」

かわいい孫のためといわれて、なずなはいっしゅん考えた。これはほんとに「方便」でいいのかな？　気持ちが揺れた。

「世の中をうまくわたるのは、きびしいんだよ。これから、あんたにしっかり教えようと思ってた矢先だよ。この転勤の話は」

おばあちゃんは、たたみかける。

「あたしはね、しこたま苦労したんだよ。子どものころから、さびしい思いしてさ」

三歳で産みの母親を亡くしたおばあちゃん。鼻をクシュンとすすり、話をどんどんかわいそっぽくもっていく。かわいそうな話に、なずなが弱いと知っているからだ。

「そっかぁ」

なんだか、あやしいと思っていても、だんだん、おばあちゃんと同じ気分になってきた。

なずなが、シュンとした気持ちでいると、

「絶対にこの計画はないしょだよ」

と、おばあちゃんはずるがしそうに口元をゆるめて、片目をつぶった。

なずなは豆電球の灯りの中で、パッチリと目がさめたままだ。

おばあちゃんと、とんでもない約束をしてしまった。

おばあちゃんって、どうしてこんなことをすぐ考えつくんだろう?

なずなは、まるでキャベツの葉を一枚一枚はがしていくように、おばあちゃんの心の中をのぞいていった。

——おばあちゃん、ほんとはすっごく、さみしがりやなんだろうな……

ママは「本当の幸せは、お金だけじゃないのよ」って、いつもいっているけど、おばあちゃんは、手に取って見えるものでないと、幸せを感じないのかもしれない。幸せはみんなお金で買えるものって、思ってるみたいだ。

「みんなに施してさ、いい奥さまって、昔みたいにいわれたいんだよ」と一時期の裕福だった結婚生活のことばかりにこだわっている。「この世にごめんこうむるのは、それからだね」と、もう一度お金持ちになる夢を見ているのだ。


数日たって、おばあちゃんは富士夫おじさんのところへ帰って行った。

「なーちゃん、心配いらないよ。ちっとのしんぼうさ」

帰るとき、おばあちゃんはあの約束のことをささやいた。なずなの胸がズキンと痛んだ。

「それからこの行李、なーちゃん、あんたが、あずかっといとくれ」

「家出」用の行李は、富士夫おじさんのところには、ぜったいに持って帰らない

いれた。

と、おばあちゃんはがんばった。しかたなくママは名古屋の引越し荷物のほうにおばあちゃんの電報作戦の決心はかたいようだ。またまた「嘘も方便」おばあちゃんはこれを使いすぎるような気がする。

その日から、めまぐるしく引越しの準備が始まった。

なずなは、おばあちゃんのことを考えるひまもなかった。

十一月。

ママもなずなもくたくたになって、パパのいる名古屋の社宅へと引っ越した。

パパは会社の名古屋支店長さんになったから、他の社員さんみたいに、アパートの家族寮ではなかった。お庭のある一軒家だ。でも、お向かいに社員寮が立っている。

「ちょっと、周りの目がねぇ」とママは顔をしかめた。

なずなはママのその顔をみて、だからやっかいなことばかりするおばあちゃんを、ここに、つれてきたくなかったのかなと思った。

あの時のママは、けじめだとか、親を見る義務だとか、学校の先生みたいだった。

それにしても、なずなはやっぱり、おばあちゃんのいったとおり、新しいクラスになじめなかった。いつも、ぽつんとひとりぽっち。

——おばあちゃん、早くこないかなぁ

おばあちゃんのいうように不良になることはないけれど、さみしかった。

ひと月ほどのしんぼうって、いったから、もうそろそろだ。

なずなはいつのまにか、あの「嘘も方便」の「電報」を待つようになった。

冬休みにはいって、やっと家の中も落ち着いてきた。

家族寮に住んでいるクルミちゃんという四年生の友だちもできた。

もうすぐお正月だ。

なずなはママといっしょに、お正月の買物に行った。

ママもおばあちゃんのことは、気になるらしい。毛糸のチャンチャンコやら、足袋やら、「柳屋のチック」などを買った。

「あした、小包にして送ろうね」といいながら、名古屋名物のういろうも買った。

翌日、二人でおばあちゃんに送る小包を作っていた。

「電報でーす！」

玄関で大きな声がする。

なずなはハッと息をのんだ。ママはあわてて部屋を飛び出していった。

「わっ！　たいへん！　おばあちゃんが」

「ハハ、キトク」なずなは電報をみなくてもわかった。

「おばあちゃんが危篤だって。あんなに元気だったのに！」

ママは真っ青だ。なずなはゴクンとつばをのんだ。

「なにがあったのかしら」

ママは電報をくいいるように、見つめている。

――どうしよう！

今、おばあちゃんの計画をしゃべっていいのか、悪いのか。

なずなのひざが震えた。

「富士夫に電話してくる」

ママは社宅の管理事務所の電話をかりにいこうとした。

「ママ、まって！」

なずなは泣きそうになって、ママの手をひっぱった。ママの手は氷のようにつめたい。

「あの、あの、あのね」

おばあちゃんに、いわないって約束したあの計画を、なずなはいっきに、しゃべってしまった。

「エーッ、ほんと？　ンもう！　なんていう親なんだろう！」

ママはカンカンにおこった。今度はまっ赤になった。

「ごめんなさい」

「なずなが、あやまることじゃないわ。常識がなさすぎるのよ、おばあちゃんはっ。ちょっとひとこと、いっとかなくちゃ！」

やっぱり電話するといって、ママは出て行った。

——どうしよう。ごめんね！　おばあちゃん、もう、名古屋にこられなくなっちゃうかな
なずなの胸ははりさけそうだ。

「なずな、なずな、したくして！」

ママがまた、真っ青になってかけもどってきた。

「武内さんに、電話呼び出してもらったらね、富士夫おじさんも幸子さんも病院だって。あの電報、嘘じゃないのよっ。昨日夜、倒れたんだって。意識もないか

ら急がないと。間に合わないかもしれない！」

――うそっ、うそっ、おばあちゃん！　どうなってるの？　うそでしょ？　ほんとは元気なんでしょ？

それとも、作戦が変ったんだろうか？

なずなの頭の中は、クルクルとまわって、いろいろなことを考える。

「縁起でもない嘘なんか考えるから、こんなことになるのよ。もう、おばあちゃんてば！」

ママは泣き声でおこっている。

「こんなことなら、一緒につれてくればよかった」

こんどは子どものように泣きだした。

「パパに電話をしなくっちゃ」

エプロンで涙をふきながら、ママはまた出て行った。

「そうだよ、つれてくればよかったんだよ」

なずなも泣きながらいった。

おばあちゃんはきっと、約束のニセ電報を打とうとして、とびきり興奮しちゃったんだ。だから急に血圧があがって、倒れてしまったにちがいない。なずなはいつもママが心配していたことばを思い出した。

体が凍ったように冷たくなっていく。

――神さま、おばあちゃんを助けて！

おばあちゃんが好きな神さまなら、どの神さまでもいい。

「ナムジソウダイ、ナムジソウダイ」

おばあちゃんが、いつも唱えている神さまの言葉を、なずなはくり返しいった。

これだけじゃ、たりない！　おばあちゃんが、とびきりのお願いをする時のように、胸の前でしっかり指を組んでキリストさまにもお願いをした。

押入れのおばあちゃんの「家出」用の行李をひっぱり出した。

ふたを取るとプーンと強い「柳屋」のチックのにおいがただよった。ねずみ色のくたびれた着物。えりまき代わりに首に巻いていたよれよれの真綿、つま先の破れかかった足袋。

「おばあちゃん、きこえる？　ナムジソウダイ、ナムジソウダイ、それとアーメン。これでいいんでしょ？」

なずなは、ねずみ色の着物に顔をうずめた。

「なーちゃん、おばあちゃんはね、みんなに、しこたま施しして、も一度、昔みたいにいい奥さまって、いわれたいんだよ……」

おばあちゃんの声が、どこかでするようだった。

——おばあちゃん、まだ、死んじゃだめだよ。みんなに施ししてないよ。宝くじもクイズも当たってないじゃん！

なずなは、いいながら声をあげて泣いた。

その夜おそく、なずなはパパとママと生まれて初めての夜行列車に乗った。

翌朝家族みんなで病院にいった。

おばあちゃんは、何本もの管につながれて、眠っていた。

——おばちゃん、名古屋には来られなかったけど、みんなここにいるよ。寂しくないでしょ
なずなは、おばあちゃんの片方の手をそっと握った。

「もう嘘も方便はやめとこ」

なずながささやいたとき、おばあちゃんの指にほんの少し力が入ったように感じた。

おばあちゃん！　おばあちゃん！　なずなは声をあげて泣き伏した。

なずなたちが東京に到着して三日め、おばあちゃんは静かに息を引き取った。

あとがき

八十歳になった記念として、かつて同人誌に掲載した作品を本にまとめてみることにしました。

この作品は以前に出版した『あすにむかって、容子』の姉妹編ともいうべきものです。

自由奔放に生きる祖母に、まわりの者はいつも振り回されっぱなしでした。息子や娘にもらう月々の小遣いも、あっという間に使ってしまうから、祖母のさいふはいつもからっぽ。

「おてっぱらいだよ」と両手を広げてさいふをふって見せる姿を今でも思い出します。この「おてっぱらい」という言葉は（辞書にも見つかりませんし）祖母の造語だったのかもしれません。

祖母はいつも「百万円が当たったら」と宝くじの当選を夢見ていました。百万円がほしいのは、自分の贅沢のためでも物欲のためでもありません。祖母の唯一の喜びは、ただただ人に喜んでもらって、「いいオクサマ」と言われることだったのです。

不器用な愛情表現ではありましたが、孫には精一杯の愛情をそそいでくれました。

けれども失敗しては騒ぎを起こし、家族に叱られてしまう祖母。

その切ない思いを、幼かった私は深く理解してあげることができませんでした。

今ならわかります。

祖母は決してやっかい者ではなかったし、家族の一員として立派な「いいオクサマ」として生涯を終えたのです。

昭和の懐かしい時代を振り返りながら、心に残る小さなエピソードをモチーフとして、一話ごとに創作していきました。

本書を刊行するにあたり、家族にいろいろと協力してもらいました。心より感謝いたします。

二〇二三年十月　　木之下のり子

木之下のり子（きのした のりこ）

本名、木之下範子。1944年、東京都生まれ。著書『あすにむかって 容子』（1993年、文溪堂刊）は第23回児童文芸新人賞を受賞。児童文学創作グループ「みち」同人。神奈川県藤沢市在住。

なずなとおてっぱらいおばあちゃん

2023年11月 発行

著 者 木之下のり子
制 作 毎日文化センター
〒100-0003 東京都千代田区一ツ橋1-1-1 毎日新聞社1階
TEL 03-3213-4768
https://www.mainichi-ks.co.jp/m-culture/
発 行 株式会社百年書房
〒130-0021 東京都墨田区緑3-13-7 日の本ビル701
TEL 03-6666-9594
https://100shobo.com

 ISBN978-4-910489-60-5